ENFANTS À LIVRE OUVERT

DU MÊME AUTEUR

Parler pour les enfants, illustré par Philippe Béha, Éditions Libre Expression, 2014.

À hauteur d'enfant, Éditions Libre Expression, 2012.

Tous responsables de nos enfants – Un appel à l'action, avec Hélène (Sioui) Trudel, Bayard Canada Livres, 2009.

Vivre avec un enfant qui dérange, avec Lise Lachance, Bayard Canada Livres, 2007.

Enfances blessées, sociétés appauvries, Éditions du CHU Sainte-Justine, 2005.

Aide-moi à te parler ! La communication parents-enfants, Éditions du CHU Sainte-Justine, 2004.

A Different Kind of Care, The Social Pediatrics Approach, McGill-Queen's University Press, 2004.

Soigner différemment les enfants – L'approche de la pédiatrie sociale, réédition revue et augmentée, Les Éditions Logiques, 2004 (1re édition : 1999).

Soigner différemment les enfants – Méthodes et approches, Les Éditions Logiques, 2004.

Votre enfant au jour le jour – De la naissance à 6 ans, Les Publications du Québec, 1987.

Gilles Julien M.D. O.Q. C.M.

ENFANTS À LIVRE OUVERT

TRÉCARRÉ
Une société de Québecor Média

Catalogage avant publication de Bibliothèque et Archives nationales du Québec
et Bibliothèque et Archives Canada

Julien, Gilles, 1946-

Enfants à livre ouvert
ISBN 978-2-89568-708-5
1. Pédiatrie sociale. 2. Enfants et adultes. 3. Communication interpersonnelle chez l'enfant.
I. Titre.

RJ47.7.J852 2017   618.92   C2016-942235-6

Édition : Nadine Lauzon
Révision et correction : Isabelle Lalonde, Sabine Cerboni
Grille graphique de la collection : Chantal Boyer
Couverture : Chantal Boyer
Mise en pages : Louise Durocher
Photo de l'auteur : Michel Paquet

Remerciements
Nous remercions la Société de développement des entreprises culturelles du Québec (SODEC) du
soutien accordé à notre programme de publication.
Gouvernement du Québec – Programme de crédit d'impôt pour l'édition de livres – gestion SODEC.

Financé par le
gouvernement
du Canada | **Canadä**

Les Éditions du Trécarré
Groupe Librex inc.
Une société de Québecor Média
La Tourelle
1055, boul. René-Lévesque Est
Bureau 300
Montréal (Québec) H2L 4S5
Tél. : 514 849-5259
Téléc. : 514 849-1388
www.edtrecarre.com

Dépôt légal – Bibliothèque et Archives nationales du Québec et Bibliothèque et Archives Canada, 2017

ISBN : 978-2-89568-708-5

Distribution au Canada
Messageries ADP inc.
2315, rue de la Province
Longueuil (Québec) J4G 1G4
Tél. : 450 640-1234
Sans frais : 1 800 771-3022
www.messageries-adp.com

Diffusion hors Canada
Interforum
Immeuble Paryseine
3, allée de la Seine
F-94854 Ivry-sur-Seine Cedex
Tél. : 33 (0)1 49 59 10 10
www.interforum.fr

SOMMAIRE

MOT DE L'AUTEUR

Pourquoi écrire encore sur les enfants ?

Parce qu'on en a dit beaucoup, mais que l'on n'en fait toujours pas assez, malgré toutes les bonnes intentions. On se contente souvent de recommandations un peu trop théoriques et de vœux pieux qui n'aboutissent que rarement à des actions concrètes ou porteuses d'espoir et de succès.

Parce que tout n'a pas été dit et qu'on ne sait pas toujours décoder leurs besoins ni leurs demandes.

Parce qu'on se demande souvent quoi faire et comment le faire pour mieux les comprendre.

Parce que trop d'enfants nous « échappent » et tombent entre deux chaises.

Parce que la souffrance de nombreux enfants reste en plan, ce qui affecte leur vie future et la santé de toute une société dite « moderne ».

Parce que nous avons beaucoup à faire pour rendre leur vie plus juste et équitable en les respectant totalement.

Parce que le Canada, malgré son acceptation de la Convention relative aux droits de l'enfant, n'est pas très performant dans son application sur le terrain.

Parce que le fameux « Québec fou de ses enfants[1] » d'il y a vingt ans ne s'est pas vraiment concrétisé.

Parce que le nombre d'enfants vivant dans la précarité ne diminue pas, en dépit de notre statut d'État plutôt riche.

Parce que nous n'avons pas toujours respecté nos promesses envers eux !

Parce que, aussi, la pauvreté et les iniquités sociales ont des conséquences négatives sur le développement ainsi que sur la santé d'une forte proportion d'enfants dans le monde.

> Ce livre s'adresse à tous les parents, parce que ce sont eux qui connaissent l'ensemble des besoins de leur enfant et qui y répondent tout au long de leur développement. Il concerne aussi les intervenants, les chercheurs, les décideurs, les politiciens et tous ceux qui se soucient de l'enfance.

Cet outil devrait servir à repenser l'aide et l'accompagnement à l'enfance dans une perspective de « village qui prend soin de ses enfants », en totale collaboration avec les familles et le milieu.

Je vous suggère donc un modèle d'action totalement axé sur les besoins et les droits des enfants, qui se base précisément sur une meilleure compréhension de ces derniers, de leurs racines, de leurs aspirations et, très certainement, de

---

1. *Un Québec fou de ses enfants* est un rapport qui a été publié par le ministère de la Santé et des Services sociaux en 1991. Ce rapport constitue encore aujourd'hui un document de référence pour tous ceux qui s'intéressent aux jeunes et aux familles en difficulté. http://publications.msss.gouv.qc.ca/msss/document-000205/

leur grande valeur pour la société. Voilà ce que j'appelle le RESPECT intégral de l'enfant !

Nous nous attarderons tout d'abord à l'enfant lui-même, à ses émotions et à ses secrets. Il nous faudra découvrir ses besoins multiples et sa façon de voir le monde qui l'entoure, ce qui l'anime, ce qu'il en comprend, comment il l'interprète et comment il y réagit. En s'approchant ainsi de l'enfant, on découvrira vite ce que l'on doit faire pour le respecter.

On pourra ainsi interpréter ce qui n'est pas visible, ce qui se dissimule à travers des colères fortes, des peines lourdes, des comportements difficiles ou des échecs scolaires. Grâce à cette observation, on pourra agir en toute connaissance de cause sur les vraies raisons de leur mal-être.

Les enfants nous dévoilent, par leurs désirs et leurs rêves, leurs visions d'un monde meilleur centré sur l'humain et sur l'humanité. Ils expriment continuellement leurs craintes et leurs angoisses, mais aussi leurs joies de vivre et leurs espoirs. Leurs messages sont subtils, mais visibles à l'œil nu par tous, à commencer par les parents qui veulent bien y mettre le temps et la passion.

Les parents ne sont pas toujours objectifs cependant. Ils pensent trop souvent pour leur enfant en raisonnant comme des adultes plutôt que comme des parents. Ils interprètent les faits et gestes de leur progéniture selon leurs propres perceptions et leurs propres besoins.

> « Quand les parents parlent pour nous, les enfants, on devient invisibles… »
> Un enfant de 8 ans.

Ils veulent bien faire, protéger et guider leur petit, mais ils peuvent, par la même occasion, être trop distants ou trop envahissants.

Dans la plupart des cas, ils ne se rendent pas compte à quel point leur enfant, même en très bas âge, est d'une sensibilité extrême envers tout ce qui se passe à la maison, dans la vie de couple et dans le quotidien de sa famille. Les réactions de l'enfant sont spontanées, subites et souvent paradoxales. Quand il ne va pas à la selle pendant quelques jours, quand il dort mal et quand il fait des crises, il exprime ses peurs, ses angoisses et sa sensation de ne pas être aimé. Il craint au plus haut point la séparation ou l'abandon dès que ses parents se chicanent, même pendant son sommeil. Toute sa vie tourne autour de sa relation avec eux. Tout ce qu'il perçoit comme une menace pesant sur cette relation unique le fait surréagir et envoyer des signaux difficiles à interpréter. Un peu de recul est alors nécessaire. C'est ce que nous proposons dans ce livre, qui devrait inspirer aussi tous ceux et celles qui agissent pour le bien des enfants.

Pour bien les comprendre et pour que les décisions qui les concernent s'en inspirent, il faut les côtoyer. La proximité étant une condition essentielle à leur apprivoisement, le parent est certes le mieux placé pour y arriver, mais cette démarche n'est pas réservée qu'à celui-ci. L'intervenant qui agit auprès de l'enfant peut lui aussi se placer en situation de proximité et d'intimité pour mieux intervenir. L'enseignante ou le médecin, entre autres, doivent également se rapprocher pour bien comprendre et aider l'enfant. De cette approche émergera une interaction qui permettra de mieux saisir ses émotions et ses besoins réels, dans le but d'offrir un soutien adéquat.

Pour une interprétation plus efficace, il faut aussi déterminer les contextes dans lesquels l'enfant évolue. Les enjeux de la pauvreté et des iniquités sociales dont il est victime, de même que les abus et les traumatismes dont il souffre, ont des conséquences négatives sur sa santé et son bien-être futur, et font partie de la réflexion et de l'analyse.

Bienvenue, donc, à tous : parents, amis, voisins, intervenants de tous les secteurs, politiciens et décideurs de tout genre. Regardons les enfants, décodons leurs messages, apprécions leur sagesse : nous pourrons ainsi entrevoir et fabriquer avec eux un monde nouveau et meilleur !

« Voici un livre sur l'action, sur comment les actions deviennent gestes et comment les gestes transmettent des messages. Comme espèce humaine, nous sommes technologiques et brillants sur une base philosophique, mais nous n'avons pas perdu nos propriétés animales qui nous conduisent à l'action. Ce sont justement ces activités corporelles de base qui prioritairement concernent l'observateur de l'homme[2]. »

Note : Les exemples de cas sont basés sur des faits réels. Les noms ont été changés, de même que les détails pouvant permettre de reconnaître les vrais personnages. Dans plusieurs cas, les histoires ont été mélangées aux fins de confidentialité.

---

2. Desmond Morris, *La Clé des gestes*, Éditions Grasset, 1979.

CHAPITRE 1

DE L'IMPORTANCE DE BIEN COMPRENDRE ET DÉCODER CE QUE LES ENFANTS NOUS DISENT

« Oui, tout est dans les yeux, pensa-t-il,
ou peut-être dans un espace insondable derrière les yeux ? »
Leonardo Padura, *Hérétiques*

S'inspirer des enfants implique une volonté et une capacité de bien les observer pour mieux les comprendre. Il faut croire en leurs capacités et les considérer comme des personnes à part entière. Il faut les côtoyer et les aimer pour leur profondeur et leur spontanéité. Il faut les voir et les adorer comme des êtres uniques qui s'expriment de différentes façons, explicites ou non.

Cette base essentielle, celle du respect de l'enfant en tant qu'être humain et citoyen à part entière, est la pierre angulaire de nos interactions avec lui. À partir de cette base, tout est permis pour agir, que ce soit en prévention en présence d'un risque réel ou soupçonné, ou dans un but de traitement quand le mal est fait.

Si l'on observe des attitudes ou des comportements qui laissent croire, par exemple, qu'un enfant subit des abus sexuels dont il ne parle pas ou encore quand un jeune a des propos suicidaires, il est nécessaire de s'en mêler et d'agir avec le plus grand respect. Il faut alors s'approcher davantage de lui pour créer un lien de confiance et ainsi ouvrir un espace de parole.

On peut avoir une intuition d'abus sexuels si l'enfant a, notamment, des comportements sexualisés inappropriés pour son âge, un excès de pudeur hors contexte ou une attitude de grande personne lorsqu'il est en contact avec un adulte, qui fait partie de la famille ou non. Voici des exemples concrets permettant d'illustrer mes propos.

– Un grand-père veut rattraper le temps perdu alors qu'il retrouve sa petite-fille après neuf ans d'absence. Elle a dix ans. Il a des droits de visite et décide de coucher avec elle, dans la même chambre, pour en être plus proche! Il lui donne des becs mouillés qu'elle trouve dégueulasses... On peut se poser des questions... et intervenir!

– Une petite de six ans montre sa vulve à des étrangers ou à des membres de sa famille et tente de toucher le pénis des garçons dans la cour d'école, sans inhibition aucune. Abus, exposition ou précocité? Notre rôle est de le découvrir tous ensemble.

Je viens tout juste de voir un enfant de dix mois avec de magnifiques yeux bleus. Il était tout sourire, tout éclatant.

En fait, on nous a réunis, lui et moi, pour une séance photo sur le thème des mains, sur leur rôle, leur beauté et leur effet sur les autres.

En présence de la mère et de la photographe, nos mains ont été photographiées, de même que parfois les pieds du bébé, pendant une bonne heure, à notre grand plaisir.

Les mains comme premier contact, comme objet d'apprivoisement, comme outil protecteur et sécurisant... Les mains sont porteuses d'amour! Voilà donc une autre belle découverte, parmi toutes celles que je peux faire chaque jour en côtoyant des enfants.

On les a mises dans tous les sens, à l'endroit, à l'envers, l'une dans l'autre, enlacées, protectrices ou tout simplement abandonnées à elles-mêmes.

Les mains ont l'avantage d'être deux et de toujours être en action, souvent ensemble, en harmonie, mais aussi indépendantes, en soutien l'une à l'autre ou même parfois en compétition, comme le sous-entend l'expression : « Ce que l'on donne d'une main, on le reprend de l'autre ! »

Je pouvais sentir un lien étroit avec cet enfant. Il semblait rassuré et entier, il avait l'air de posséder tout ce qu'il lui faut pour bien se développer et assurer son bien-être. L'attachement, la confiance, l'identité, la sécurité, la motivation : il avait tout ça, en pleine puissance. On le sentait, on le captait dans ses yeux et dans ses gestes.

Toujours, nos regards se croisaient et guidaient tout ce qu'on faisait, puisque nous ne pouvions pas utiliser la parole. Quelle chance avions-nous que nos yeux, avec l'appui de nos mains, nous donnent accès à l'essentiel !

Les yeux sont probablement le meilleur indicateur du vécu de chacun, de toutes ces actions qui se passent en dedans comme au-dehors.

On les plisse quand on est ébloui ou en colère. On les ferme lorsque l'on a peur ou encore pour fuir l'insoutenable. Un regard vide nous bouleverse ou nous interpelle. Les yeux voilés nous intimident ou nous font craindre le pire.

Puis, il y a tout le monde intérieur, le « moi » secret et profond, qu'on peut souvent déceler dans le regard quand on prend le temps de s'y arrêter et de s'en inspirer.

On doit donc interpréter les réactions des enfants par l'action produite de leur chaleur humaine, à travers leurs mimiques, leurs regards, leurs sons et leurs attitudes, voilà en grande partie l'objet de ce livre, dont le but est de mieux les comprendre et les respecter.

CHAPITRE 2

DE L'ORIGINE
D'UNE CAPACITÉ

Quarante ans de pratique de la pédiatrie sociale dans différents milieux (de 1974 à 2014) m'ont aidé à mieux connaître
les enfants et, surtout, m'ont permis d'expérimenter, par
une observation minutieuse au quotidien, une façon de les
décoder, un à la fois.

Ce fut un long chemin, mais combien fascinant, chaque
enfant étant différent et nécessitant de ma part une constante
adaptation de mon approche. Quel défi passionnant que de
trouver en chacun une voie unique, une faille ou une ouverture
toute grande, pour comprendre leurs besoins particuliers au
moyen de modes d'expression si variés !

Je reconnais ainsi la plupart des enfants non pas par leur
nom, que j'oublie rapidement, mais par leurs yeux, bien sûr,
ainsi que par leurs petits gestes et regards particuliers, leur
manière de sourire ou même leur façon de marcher. Je suis
un peu le parent de tous ces enfants qui voit en chacun d'eux
un modèle unique.

Ils ont parfois une « aura » particulière qui me fascine et
dont je peux me souvenir longtemps grâce à une sorte d'attachement inimitable et indéfectible. Certains enfants nous
marquent plus que d'autres, indéniablement, et cette aura a
certainement quelque chose à voir avec ce lien plus fort.

Mon « expertise » vient probablement d'un genre de don
mêlé à un apprentissage qui s'est développé au cours du
temps avec l'observation et la pratique, mais surtout grâce

à ma passion des enfants et à mon désir de vouloir bien les comprendre pour mieux les soigner. J'en oublie presque les adultes par moments !

Je souhaite réellement que tous les parents se reconnaissent dans mes propos, et que certains d'entre eux apprennent à écouter et à regarder plus attentivement leur propre enfant. J'en serais bien fier.

Les enfants sont tous différents. Toutes sortes de nuances et de réflexes les caractérisent. Ils ont des génétiques, des tempéraments et des caractères qui en font des individus « spéciaux et uniques ». Pourtant, ils se ressemblent tous fondamentalement, par leur essence et dans leur esprit, par leur spontanéité et leur pureté intrinsèque.

> Je souhaite réellement que tous les parents se reconnaissent dans mes propos, et que certains d'entre eux apprennent à écouter et à regarder plus attentivement leur propre enfant. J'en serais bien fier.

Ils présentent, heureusement, des constantes et des similitudes lorsqu'ils partagent leurs sentiments et leurs savoirs. On les découvre grâce à leurs expressions favorites, à leurs particularités physiques ainsi qu'à leurs mimiques distinctives. On les comprend mieux en s'attardant à la nature émotive de leurs signaux, qui se traduisent par des sentiments bien connus liés à la peur, à la colère et à la joie, aussi intenses les uns que les autres.

Quand un enfant est heureux, on le sait et on le sent. Quand il est triste, on le ressent et on l'accueille. Quand il a peur et qu'il est angoissé, on le découvre vite par sa perte de contrôle et de moyens. Il fuit, il réagit et il proteste, et c'est alors qu'on doit le rattraper, le consoler et apprendre à le comprendre pour mieux l'aider.

J'ai côtoyé beaucoup d'enfants, ici bien sûr, dans mon pays, dans différents milieux, mais aussi en Afrique, en Europe et même en Arctique. Malgré les conditions de vie difficiles de la plupart d'entre eux, ils m'ont tous paru égaux, simples, spontanés, chaleureux et rieurs. Je n'ai pas vu de différences majeures liées à l'origine, à la couleur ni au statut, si ce n'est que des particularités de moindre importance. Pourtant, il est clair que chaque enfant m'a semblé différent et unique, ce qui a toujours fait la beauté de la chose.

J'ai été à l'aise avec tous les enfants, peu importe s'ils venaient de villages africains, de l'Albanie profonde, de communautés inuites, de villages éloignés du Québec ou de populations migrantes.

Les seules frontières qui existent ne proviennent pas des enfants, mais plutôt des barrières créées de toutes pièces par des

Quand un enfant est heureux, on le sait et on le sent. Quand il est triste, on le ressent et on l'accueille. Quand il a peur et qu'il est angoissé, on le découvre vite par sa perte de contrôle et de moyens. Il fuit, il réagit et il proteste, et c'est alors qu'on doit le rattraper, le consoler et apprendre à le comprendre pour mieux l'aider.

adultes aveuglés par des considérations plus sombres de la nature humaine. L'insensibilité envers les enfants existe bel et bien : certains les négligent ou en abusent, d'autres les font travailler dans des conditions inhumaines ou s'en servent comme chair à canon. C'est un fait indéniable. Il nous faut continuellement lutter contre cette tendance honteuse de l'humanité.

Les enfants s'apprivoisent à peu près tous de la même façon, facilement et naturellement. Il suffit souvent de jouer avec eux, de faire le clown ou encore de leur montrer qu'on les aime sans conditions, avec un regard ou une parole, ou plus simplement en leur tendant la main pour les accompagner sur un bout de chemin. Et le tour est joué.

Par contre, pour les connaître plus en profondeur, il faut beaucoup de temps et de patience, ainsi qu'une attitude incontournable, soit la capacité de se mettre à leur niveau, yeux dans les yeux, nez contre nez, littéralement.

Déjà, au début de ma pratique en pédiatrie, quand je travaillais à la pouponnière, je découvrais leurs styles, leurs mimiques et leurs personnalités bien marquées qui les distinguaient les uns des autres. À première vue, ils étaient tous identiques et leur seule différence était alors la couleur de leur couverture : bleue pour les garçons, rose pour les filles. Mais chacun avait pourtant sa propre couleur se déclinant en plusieurs teintes ainsi qu'une individualité affirmée.

Puisque je devais les examiner, je découvrais, en leur portant un peu d'attention, des bébés anxieux ou détendus, rieurs ou plus sombres, bavards ou silencieux. La plupart avaient clairement le goût de vivre, même si quelques-uns semblaient hésiter à venir au monde. D'autres criaient et pleuraient comme s'ils étaient souffrants, comme s'ils avaient, peut-être, des réminiscences de leur vie antérieure ou des anticipations quant à celle à venir.

En pédiatrie, nous avons affaire à une clientèle silencieuse au départ, avec un langage très limité. Plus les enfants deviennent matures, plus ils s'expriment, mais de façon souvent atypique, le plus souvent au-delà du langage traditionnel.

Dans les premiers mois de leurs vies, ils sont calmes ou agités, ils dorment ou ils pleurent pour manifester leurs besoins de base. Après, ils se mettent à babiller, puis, un peu plus tard, à parler, mais souvent en s'exprimant avec un jargon qui leur est propre. Ensuite, des mots apparaissent, des débuts de phrases se forment et une progression vers un langage plus complexe se met en branle, un processus qui durera quelques années.

Certains ne parlent tout simplement pas, en raison d'un blocage, d'un trouble ou même d'un manque d'intérêt à utiliser cette forme de communication orale. Il faut donc apprendre à décoder leurs besoins en oubliant le langage courant et en se fiant plutôt à leurs diverses formes d'expression. C'est ce que j'ai pratiqué pendant des années avec un plaisir immense et renouvelé, allant de découverte en découverte.

Par exemple, dans le cas des enfants qui ne parlent pas, comme certains autistes, le langage oral peut rester absent pendant plusieurs années. La communication avec ces derniers ne peut donc pas se faire avec des mots. Pourtant, il s'agit de grands communicateurs dans d'autres

> Tout nous parle chez l'enfant, quels que soient l'âge et l'origine. Dès le moment du premier contact, on doit observer ses rires, ses pleurs, ses mimiques, ses attitudes, ses crises, son « boudage », ses fuites, ses retraits, ses oppositions et ses agressions, parfois. Tous ces signes et attitudes ont des significations qu'il faut analyser et découvrir.

domaines, comme le rythme, le toucher et la musique, dans lesquels il nous faut entrer pour les atteindre. Une réelle communication se produit dès que l'on réussit à trouver la bonne porte d'entrée.

Tout nous parle chez l'enfant, quels que soient l'âge et l'origine. Dès le moment du premier contact, on doit observer ses rires, ses pleurs, ses mimiques, ses attitudes, ses crises, son « boudage », ses fuites, ses retraits, ses oppositions et ses agressions, parfois. Tous ces signes et attitudes ont des significations qu'il faut analyser et découvrir.

Comme les enfants ne parlent pas avant un bon bout de temps – et même quand ils parlent, d'ailleurs –, le langage non verbal est d'abord la principale façon de communiquer avec eux, afin de les comprendre un peu plus pour mieux les accompagner dans leur développement et les guider dans leur recherche de bien-être.

« L'enfant peut communiquer de différentes manières et la communication verbale n'est pas la seule voie offerte. Les structures et les nuances du langage verbal sont difficiles à maîtriser. En outre, les enfants ont un grand besoin d'intimité, ils ont leurs secrets et leurs mystères que les mots ne réussissent jamais à exprimer complètement.

Les enfants tentent donc de nous faire comprendre ce qu'ils ressentent et ce qu'ils désirent par des mimiques, par des pleurs, par des provocations, par l'obstination ou par l'opposition. Il faut apprendre à décoder ce langage, qui semble parfois obscur, mais qui, de manière générale, est d'une clarté et d'une simplicité étonnante[3]. »

---

3. Gilles Julien, *Aide-moi à te parler! La communication parents-enfants*, Éditions du CHU Sainte-Justine, 2004, p. 87.

CHAPITRE 3

L'IMPORTANCE
DES CONTEXTES

Les contextes dans lesquels les enfants évoluent ont aussi une grande importance, car ils sont souvent les plus grands déterminants de ce qui les anime, de ce qui les inhibe et de ce qui contribue à leur développement et à leur bien-être.

Un environnement sécurisant et chaleureux permet de rassurer l'enfant, en plus de l'aider à lutter contre les stress, qui deviennent vite toxiques sans cette forme d'immunisation qu'on appelle la « résilience ».

La résilience est la capacité de contrer des états ou des événements qui peuvent nuire à notre santé ou à notre développement. Elle permet de contrôler ces stresseurs et de s'en prémunir avec la seule force de notre propre pouvoir.

Par contre, un environnement insécurisant, dans lequel l'enfant vit dans le doute et la peur, ne fait que créer de l'anxiété, qui inhibe les mécanismes de défense sous l'influence de stress incontrôlables, incompatibles avec un développement harmonieux. Pour un enfant laissé à lui-même et qui ne possède pas cette capacité de résilience, innée ou acquise, les risques de dérapage sont immenses.

L'observation minutieuse des signes non verbaux en relation avec les stresseurs multiples auxquels l'enfant est confronté est considérée comme un outil puissant pour comprendre ses émotions et ses comportements. Elle permet d'orienter l'action préventive d'accompagnement afin de lui offrir une plus grande sécurité et une meilleure capacité de résilience, pour qu'il puisse bien mener sa vie.

Il faut donc reconnaître les contextes et pleinement comprendre les émotions en cause ainsi que les comportements qui se manifestent pour que l'action qui vise à aider, à soutenir et à soigner les enfants ait du sens, pour qu'elle aboutisse. Cette recommandation s'applique à tous : aux parents, aux proches et aux intervenants. Elle fait partie de l'art d'être un bon parent et un bon intervenant. Bien comprendre avant d'agir impulsivement devient une clé pour un meilleur soutien aux enfants.

MAËL

Maël est un de ces enfants qui m'ont beaucoup impressionné. Il nous avait été envoyé par l'équipe de l'école primaire qu'il fréquentait depuis moins d'un an. Il était accompagné de sa mère et de la psychoéducatrice de l'école. À la maison, ils vivaient à trois : Maël, sa maman et sa petite sœur de 4 ans, qu'il adore. Le père n'existe pas, selon la mère. Il est « inconnu », un terme que l'on entend souvent en clinique et qui est chargé de plusieurs sens.

En effet, le père peut vraiment être inconnu ou encore non déclaré dans l'acte de naissance. Il peut aussi être dans l'ignorance de la « chose », ou bien tenu à l'écart pour diverses raisons. Dans le cas de Maël, il n'était juste pas là, sans raison précise.

Quand je lui ai demandé pourquoi il venait me voir, il m'a dit : « Je viens pour mes sentiments », ce qui est une réponse plutôt inhabituelle et intrigante pour un jeune de 8 ans.

Il avait fréquenté trois écoles depuis le début du primaire. La première année, il était en classe d'accueil, ce qui était un peu surprenant parce qu'il était né au Canada d'une mère antillaise, qui s'était assurée de l'exposer au français dès le début de sa vie, ainsi qu'à l'espagnol et à l'anglais. Vers 4 ans, il ne parlait pas encore, alors on avait conseillé à la maman de ne lui parler qu'en espagnol, mais cela n'avait rien changé. À 5 ans, à son entrée en maternelle, en classe d'accueil, il ne parlait pas du tout. Il n'avait jamais dit aucun mot dans aucune langue. À 6 ans, il disait quelques mots, pas clairs, et il ne faisait pas encore de phrases.

L'histoire de sa naissance ne permettait pas d'identifier d'événements particuliers d'ordre traumatique ayant pu contribuer à l'absence de développement du langage. La grossesse avait été normale, selon la mère, mais dans les dernières semaines l'enfant aurait présenté des difficultés cardiaques qui avaient fait craindre des complications. On avait donc procédé à un accouchement par césarienne un peu prématurément.

À la naissance, Maël avait été hospitalisé pendant une semaine pour des problèmes de rythme cardiaque et des difficultés respiratoires, mais il ne semblait pas y avoir eu de suites fâcheuses à ces événements.

Il avait fréquenté une garderie vers l'âge de 1 an, mais, vu le comportement erratique de l'enfant, la mère avait dû le retirer rapidement. En effet, il avait cessé de manger, avait commencé à faire de l'eczéma et était toujours malade. Il refusait d'y aller et il faisait des crises importantes toute la journée. La mère l'avait donc repris chez elle et avait quitté son travail pour s'occuper de lui.

Quand Maël a eu 3 ans, sa mère avait réessayé de le placer en garderie et le même phénomène s'était produit : crises importantes, refus de manger, pleurs continuels, perte de poids. Sa mère l'avait donc de nouveau retiré du milieu de garde. Était-ce des caprices, de l'insécurité ou des malaises ? Mon évaluation n'était faite que d'hypothèses. Un possible trouble de l'attachement a aussi été envisagé.

Puis, au moment du retrait de la garderie, la maman était retombée enceinte, un peu par accident, m'a-t-elle dit. Pendant cette grossesse, l'enfant avait joué un rôle d'aidant auprès d'elle, il avait plein d'attentions pour sa mère et pour le bébé à naître. Son humeur était au beau fixe et il ne faisait plus de crises. Il était un enfant parfait, selon elle, sur qui elle pouvait compter, même s'il continuait à ne pas parler.

À l'arrivée de sa petite sœur, il l'a aimée d'emblée. Il la protégeait et il en faisait un peu sa petite à lui aussi, comme s'il en était le père. Peut-être voulait-il remplacer l'«inconnu» de sa vie ? Mais cela était encore une hypothèse parmi d'autres.

La suite du questionnaire indiquait de façon évidente qu'il s'agissait d'un retard de langage simple sans troubles associés. Tout le reste du développement se situait dans la normalité. Seule l'acquisition de la continence avait été lente puisqu'elle avait duré jusqu'à l'entrée scolaire, à 5 ans.

Outre les épisodes de réactions sévères à la séparation à l'entrée en garderie, il n'a pas été possible d'identifier d'autres signes d'un problème plus profond lié à l'attachement entre Maël et sa mère. Pourtant, leur relation semblait se jouer sur deux plans : leurs rapports étaient parfois matures, les rendant complices comme deux adultes peuvent l'être, parfois filiaux, chacun jouant son rôle familial respectif. Maël n'avait que quelques immaturités de développement, particulièrement pour le langage et l'incontinence, et certaines difficultés de séparation en bas âge.

En effet, pendant les premières années de sa vie, l'enfant pouvait faire occasionnellement des crises importantes liées à la frustration. Il entrait alors dans de grandes colères pour des riens, surtout lorsque sa maman lui refusait des choses ou qu'elle changeait ses routines et ses habitudes. Cela pouvait durer des heures. Question de tempérament ? Bébé irritable ?

La mère, elle, disait de son enfant qu'il était relativement autonome, aimait le plus souvent jouer seul et avait le regard plutôt fuyant, absent même lors de la communication pendant certaines périodes. On aurait même pensé à un diagnostic d'autisme à l'âge de 3 ou 4 ans à cause du retard de langage et de la difficulté de communication sociale que l'enfant semblait présenter.

Contre toute attente, entre 5 et 6 ans, donc à son entrée scolaire, comme par miracle, il avait commencé à parler, spontanément, sans jamais avoir reçu de services spécifiques pour stimuler son langage. Ses progrès avaient été rapides et constants, au point que, à 8 ans, il parlait plutôt normalement et il réussissait bien à l'école.

Maël a toujours fréquenté une classe ordinaire, sauf en maternelle, où il a été placé en classe d'accueil à cause du langage. À partir de la deuxième année, son langage s'était développé avec une rapidité impressionnante. Peut-être était-ce le contact régulier avec des enfants et le goût d'apprendre qui avaient permis ce réveil du langage oral. Peut-être aussi que l'éloignement de ses responsabilités familiales pouvait expliquer cette surprenante progression. Ce sont d'autres hypothèses difficiles à prouver.

En troisième année, il semblait réussir relativement bien, selon la mère. Son langage expressif était adéquat, sa compréhension était mature et sa socialisation était impeccable, malgré quelques échappées dans la lune à l'occasion. Donc, en deux ans, son langage et sa personnalité avaient évolué de façon assez extraordinaire.

À l'école, cependant, le tableau semblait quelque peu différent. On notait certains comportements rigides et certaines phobies, particulièrement lorsqu'il faisait face à l'échec. Si on lui demandait de reprendre ses tâches pour les faire mieux, il devenait irritable et pouvait faire des crises. Son imagination assez impressionnante l'amenait à faire des liens et des inférences qui sortaient de l'ordinaire. Ses réponses n'étaient pas toujours liées au sujet. Par contre, son intelligence était vive et il était capable de tenir une conversation complète, même si ses références pouvaient être atypiques.

Il refusait en général de faire de l'éducation physique ou des jeux de groupe dans la cour d'école.

Quand je lui ai demandé ce qu'il voulait faire plus tard, il m'a répondu : «Je veux rester avec ma mère.» Celle-ci a avoué que l'enfant était très protecteur envers elle, au point de surveiller souvent ses moindres faits et gestes. Par ailleurs, il s'impliquait dans les tâches domestiques et ne refusait jamais de fournir l'aide demandée.

À noter qu'il pouvait partir dans son monde et dans sa bulle assez fréquemment. On devait le ramener, mais il n'a jamais perdu connaissance ni fait de convulsions. Il ne semblait pas y avoir d'origine neurologique à cette situation.

Mon impression première, un peu téméraire, était qu'il s'agissait d'une forme de trouble envahissant du développement (trouble du spectre de l'autisme) qui, au début, atteignait sévèrement la socialisation, la communication globale et le langage, avec des atypies et une grande rigidité.

Le contexte du père absent ainsi que ses rôles de conjoint et de papa de remplacement qu'il semblait s'être attribués font certainement partie des causes de son développement incomplet pendant ses premières années. Cette parentification l'avait investi d'une tâche nécessitant une grande maturité, mais semblait pourtant l'avoir sécurisé.

L'évolution de Maël pendant les trois années suivantes suggérait une sorte d'«émergence» d'une situation complexe et atypique, où se mêlaient des retards de développement, des difficultés de communication, des relations immatures compensées par la prise de responsabilités d'adultes, des intolérances d'allure anxieuse ainsi que des comportements atypiques et rigides à l'école.

On a donc décidé ensemble de faire les vérifications médicales appropriées, mais surtout de soutenir la mère et l'enfant dans le processus qu'ils ont déjà amorcé pour le mieux-être de Maël.

On a vérifié en orthophonie son niveau de compréhension pour expliquer sa difficulté à faire des liens de langage. Cette évaluation a permis de diagnostiquer un problème de compréhension et de décodage assez sérieux. On lui a aussi suggéré des activités ciblées à notre clinique pour faciliter sa socialisation dans un petit groupe. On a envisagé un suivi en musicothérapie pour l'aider à gérer ses sentiments, le principal objet de sa demande en début de consultation. On souhaitait aussi canaliser son imaginaire afin de favoriser une plus grande créativité.

L'école avait déjà recommandé de faire subir à l'enfant une évaluation ADOS pour éliminer un diagnostic de trouble du spectre de l'autisme. La maman et moi avons choisi de ne pas faire ce test tout de suite par crainte qu'on accole une étiquette négative à l'enfant à un moment où son évolution était optimale. On y verrait plus tard au besoin.

On a décidé de faire un suivi de façon régulière pour vérifier nos hypothèses et s'assurer de l'évolution positive de l'enfant. La proximité et l'intimité développées avec la mère et son fils nous permettraient d'approfondir les besoins de ce dernier sans sauter aux conclusions trop vite. C'était pour nous une question de respect, car Maël avait besoin d'un soutien adapté à sa situation particulièrement complexe.

Il était venu pour ses sentiments et, à ce moment, il a semblé rassuré de se sentir mieux compris et libre d'exprimer ses émotions. «On se revoit quand?» m'a-t-il demandé à la fin de la première consultation.

Un suivi de deux ans nous a permis de préciser certaines de nos hypothèses. Il a passé un test pour l'autisme finalement, vu les pressions du milieu scolaire, et le résultat s'est avéré négatif. L'enfant a continué son envol et il est maintenant entouré d'amis, en plus de pratiquer plusieurs sports. Il ne se préoccupe plus du sort de sa mère, même s'il reste aidant et serviable. Il a plein d'ambitions et il réussit moyennement à l'école. La trajectoire est positive.

Il est à notre portée de mieux comprendre les enfants et de mieux les soutenir dans leur développement. Une attitude positive et une grande ouverture sont nécessaires pour agir plus efficacement auprès de ceux qui sont plus souffrants et plus secrets, et qui dissimulent leurs angoisses au moyen de diverses manifestations déroutantes, notamment des crises, des blocages et des oppositions.

La proximité et l'intimité permettent une observation plus profonde des contextes, ce qui nous mène à déterminer les causes sur lesquelles nous pouvons agir pour réorienter, prévenir et soulager l'enfant en détresse. Il faut du temps et de la patience, en plus de mettre de côté les jugements et les normes rigides. Il faut aussi une grande ouverture pour repartir à zéro devant un enfant en difficulté qui exprime ses besoins de façon maladroite.

Un jeune ado qui venait de commettre un délit, qui refusait de le reconnaître, qui n'en était pas à ses premiers pas dans la délinquance et qui, apparemment, n'avait pas de remords a accepté de participer à une activité de notre organisme.

Contre toute attente, il a été ébranlé par la souffrance de plusieurs de nos jeunes et il a décidé assez rapidement de s'impliquer à fond auprès d'eux comme aidant naturel. Il nous a exhortés à lui faire confiance.

Quelques mois plus tard, il avait plein de projets en tête. Il est retourné à l'école avec l'ambition de réussir et de faire des études universitaires. Il avait trouvé une raison d'être et un sentiment d'appartenance. Il avait découvert la fierté d'exceller dans une activité, car il avait été comblé dans son rôle de leader positif. Sa vie venait de basculer pour le mieux.

NICOLE

Je voyais Nicole depuis un an. Elle vivait seule avec sa mère, qui me considérait au départ comme un sauveur pour sa fillette de 8 ans accablée de graves diagnostics. Plusieurs spécialistes avaient déjà émis diverses hypothèses pour expliquer la sévérité de ses symptömes, allant des pires crises aux comportements les plus atypiques, en passant par des automutilations et des régressions sévères.

Pendant un an, nous avons activement observé Nicole dans différents contextes : le jeu, l'art, le sport. Aucune des hypothèses avancées n'a tenu la route. La maman nous demandait régulièrement de l'aider, se disant à bout et incapable de continuer. Elle nous suppliait de ne pas la laisser tomber puisque nous étions son dernier recours. Les comportements de sa fille ne changeaient pas et ils s'envenimaient même par moments.

Après un an, les messages de l'enfant sont devenus plus clairs. En repartant à zéro, sans jugement, en
écoutant et en validant ses messages dans différents
contextes, en tenant compte de divers signaux plus
subtils, nous avons émis une nouvelle hypothèse. Nous
avons discuté avec la mère et nous lui avons exposé
la possibilité d'un trouble sévère d'attachement avec
des manifestations extrêmes. Pour la première fois
depuis longtemps, elle s'est adoucie, elle a pleuré, et
ce qu'elle ne voulait pas entendre et qu'elle refoulait
au fond d'elle-même a alors pris tout son sens, quand
elle a déclaré: «Dites-moi vite ce que je dois faire et
comment je dois le faire. Je ne veux pas qu'elle vive ce
que j'ai vécu!»

En mettant le doigt sur le vrai bobo, en consacrant le temps
et l'écoute nécessaires, et en regroupant les observations, on
arrive souvent à trouver des pistes de solution. La tâche n'est
pas toujours facile et la pente peut être ardue, mais quand on
sait sur quoi travailler, on se met à voir le bout du tunnel. C'est
tout le reste de la vie d'un enfant qui peut changer. Dans le
cas de Nicole, à partir d'une relation pathologique où les rôles
étaient confus et ambigus, on a commencé à construire une
relation normale et saine, afin de favoriser son épanouissement
ainsi que celui de sa mère.

CHAPITRE 4

L'ART D'APPRIVOISER UN ENFANT

Selon le *Petit Larousse illustré*, apprivoiser, c'est « rendre quelqu'un plus sociable, plus doux, plus affable, le séduire ».

Apprivoiser un enfant, c'est déjà le comprendre un peu !

C'est sûrement la première phase d'un réel rapprochement.

C'est aussi l'étape initiale d'une compréhension mutuelle dans le but de favoriser la confiance nécessaire à la relation d'aide que l'on veut entreprendre. Ce n'est pas si difficile ! Tout est séduction, comme le dit le *Larousse* !

Apprivoiser les enfants relève de la plus simple stratégie, dont le seul but est d'arriver à les comprendre encore mieux, à saisir leurs besoins globaux et à préciser leurs environnements. Il s'agit de devenir des amis d'entraide pour participer à la réussite de leur vie.

ARTHUR

J'étais à la clinique. Une famille attendait avec un garçon de 22 mois pour une petite urgence. Je ne l'avais jamais vu auparavant. Il était en train de jouer sur le sol avec un camion.

Je me suis approché de lui et je me suis mis à son niveau, par terre, après l'avoir interpellé par son prénom. « Où est Arthur ? » ai-je demandé. Il s'est tourné vers moi et m'a fixé pendant près d'une minute avec de grands yeux étonnés. « Es-tu Arthur ? » Il a continué à m'observer, silencieux et immobile.

J'ai commencé à jouer avec une toupie sans dire un mot. Il me fixait encore et, en me montrant son petit camion, il a déclaré : « Rouge. » « Ton camion est rouge », ai-je dit. Il a souri, rassuré. Je l'ai invité à jouer avec la toupie pour que nous soyons amis. Je me suis approché de son visage et il a fait un mouvement vers moi. J'ai touché son nez avec mon nez et voilà, nous étions amis.

J'ai enfin salué son père et sa mère, puis j'ai demandé à Arthur de venir dans mon bureau. Il m'a donné la main et on a invité ses parents à nous suivre pour traiter la petite urgence, qui s'est avérée bénigne.

La séduction, dans un cas comme celui-ci, c'est surtout de plaire pour ne pas effrayer. On se sert d'un jeu, d'une diversion et de magie, parfois, pour s'imposer, puisqu'il le faut. Ensuite, on se rapproche et on devient soudainement un complice, un ami.

Ce n'est pas toujours aussi facile, bien sûr, mais ce genre de truc fonctionne la plupart du temps. Si l'enfant est anxieux ou porte différentes cicatrices traumatiques, l'approcher sera plus ardu et il faudra alors adapter notre façon de faire jusqu'à ce qu'on réussisse à l'apprivoiser. Patience et persévérance sont donc requises.

Dans cette même semaine, j'ai rencontré un enfant de 5 ans bougonneux et résistant. D'emblée, il s'est réfugié dans le coin de jeux de la salle d'attente et s'est entouré de gros toutous pour se dissimuler, grognant et me menaçant du regard dès que je lui jetais un coup d'œil. J'ai essayé de l'approcher, mais son refus était clair, alors j'ai décidé de le délaisser un moment pour parler avec la mère. Il a continué de grogner de temps en temps, comme s'il suivait la conversation de loin.

La maman trouvait difficile la relation exclusive qu'elle vivait avec cet enfant contrôlant. «Il me suit même à la toilette», m'a-t-elle confié, un peu exaspérée. Elle était accablée et a versé quelques larmes, ce qui manifestait clairement son incompréhension et même une certaine culpabilité face à ce comportement. «C'est embêtant et j'ai l'impression de ne pas être une bonne mère», a-t-elle ajouté. «Je suis incapable de tolérer cette situation plus longtemps!» a-t-elle avoué en guise de conclusion, honteuse.

L'enfant est alors venu se blottir contre sa maman, toujours bien collé et bien caché, mais parfaitement en contrôle. Dès que je le regardais, il tournait la tête en direction opposée. Il ne voulait pas entrer en contact avec moi pour préserver sa sécurité chèrement acquise auprès de sa maman. Il ne souhaitait clairement pas que je me mêle de sa relation privilégiée avec elle. Peut-être pensait-il que je pouvais lui voler sa place!

Cela durait déjà depuis trop longtemps et je devais trouver un moyen de briser cette opposition de plus en plus intenable. Je me suis approché de la mère et je me suis mis à lui caresser le bras, précisément celui qui retenait le petit contre elle. Étonnamment, il m'a regardé, un peu incrédule, et je l'ai senti se détendre. Il a oublié de fuir et de s'opposer pendant quelques instants.

J'ai continué à parler à la maman en feignant d'ignorer l'enfant. Je le voyais du coin de l'œil m'observer intensément quand je ne le regardais pas. Dès que j'essayais de le fixer, il tournait encore ses yeux, mais plus lentement. Il se laissait apprivoiser... et quand je l'ai invité à jouer avec moi dans le coin de jeux, il était radieux et enchanté de m'accompagner.

Je l'ai même senti libéré, pendant quelque temps, de son rôle trop lourd auprès de sa maman, comme si je lui enlevais un poids démesuré. On a alors parlé de lui, de ses rêves, de ses talents, de ses besoins. On n'a toutefois rien dit au sujet de son insécurité immense ni des conflits pour lesquels la maman nous consultait.

Il semblait joyeux et me racontait toutes sortes de trucs qu'il était capable de faire auparavant, en plus de me confier certains de ses rêves. Il voulait construire des ponts ou être pompier pour sauver des vies. On a continué de jouer ensemble, loin de la maman, tout en bavardant comme de vieilles connaissances.

La fin de la rencontre approchait et, comme on se connaissait mieux, je leur ai proposé de revenir quelques jours plus tard pour dessiner avec l'art-thérapeute. On reprendrait ainsi le jeu qu'on venait de commencer et j'irais aussi le saluer. Ils ont accepté tous les deux. On allait donc pouvoir entamer le travail pour améliorer la relation entre le parent et l'enfant, insécurisante et destructrice. À la fin de la rencontre, le garçon m'a confirmé qu'il était bel et bien mon ami et qu'on allait se revoir bientôt.

L'apprivoisement permet ce type de rapprochement sécurisant, qui mène essentiellement à poursuivre la relation dans le but d'offrir un traitement ou un accompagnement, selon un modèle de relation d'aide « autorisée ». Dans le cas de ce garçon, nous avons pu travailler la distance et l'autonomie nécessaires au développement d'une relation plus mature entre un parent et son enfant.

Grâce à différents modèles de soin, dans ce cas-ci l'art – ou l'art-thérapie, pour être plus précis –, on a la possibilité de rapprocher différemment deux individus en détresse ou en conflit. On peut aussi mobiliser les sujets dans la création d'un objet d'art commun à partir du savoir et de la créativité de chacun. Avec ce garçon et sa maman, il s'agissait d'utiliser leurs forces différentes pour leur faire découvrir autre chose que la dépendance ou le contrôle. C'est souvent ainsi que l'on apprend à se démarquer, à devenir plus autonome et plus mature dans une relation filiale.

Une rencontre d'apprivoisement réussie permet d'aborder les vraies choses, l'essence des difficultés que vivent l'enfant et la famille. Elle permet d'aller au-delà des symptômes, dans les sentiments profonds et les environnements toxiques qui nuisent à la santé et au développement de l'enfant, et qui créent un mal-être dans sa famille et son milieu.

Décoder l'enfant et prêter attention aux signaux des parents sont primordiaux au tout début de la relation d'aide, parce que cela ouvre des pistes incontournables pour saisir toutes les dimensions des enjeux. La suite mène à un lien créatif permettant de travailler ensemble pour trouver des solutions adaptées. Le résultat net sera préventif et curatif à la fois.

> « ... l'art est pouvoir. [...] C'est le pouvoir de toucher l'âme des hommes et, à la fois, de semer les graines de son amélioration et de son bonheur. »
>
> Leonardo Padura.

Une relation insécurisante est malsaine. Elle conduit à une grande anxiété qui altère le développement de l'enfant et le bien-être de la famille. L'évolution de la situation est prévisible : si rien n'est fait, il y a un risque de rupture ou d'abandon, ainsi que la possibilité d'une grande immaturité affective conduisant à des problèmes autant physiques que mentaux. L'enjeu est de taille et on ne peut pas manquer son coup.

Pour l'enfant dont on vient de parler, la porte est grande ouverte, mais le travail risque d'être long et ardu. Petit à petit, la magie va opérer et croître, le temps de mettre en place des outils qui permettront aux deux parties, parent et enfant, de construire une relation plus saine, plus mature et plus sécurisante. L'impact sur le développement global sera énorme et la qualité de vie, fortement améliorée.

Habituellement, le parent coincé dans ce type de relation difficile se sent rapidement piégé. Même si, au début, ces liens insécurisants se tissent en toute bonne foi, en raison d'un désir de rapprochement confortable, la dépendance et les contraintes finissent par apparaître. Le mal-être prend vite le dessus et les pistes de solution ne sont pas évidentes. On voit souvent des parents se décourager, mal réagir et même abandonner. Ce qui correspond toujours à une catastrophe évitable.

L'apprivoisement des parents et de l'enfant, tous méfiants, est donc primordial pour agir efficacement.

QUELQUES PISTES SUPPLÉMENTAIRES

Je me fais un devoir de toujours aller au-devant des enfants dans la salle d'attente, je joue avec eux, je les amène dans mon bureau en les prenant par la main ou dans mes bras, avant tout le monde, comme s'ils étaient seuls au monde. Je leur porte une attention unique avant même de parler à leurs parents. D'emblée, ils ont l'impression d'être la personne la plus importante pour moi, celle qui m'intéresse, celle que je veux aider.

Futés, ils le comprennent assez vite grâce aux rituels que j'essaie d'adapter à chacun, au flair. Les parents et les intervenants qui viennent pour la première fois sont souvent déstabilisés par ce manque de « savoir-vivre ». Toutefois, les parents comprennent vite l'enjeu et j'aime penser qu'ils apprécient cette proximité que j'ai avec leur enfant, qui est toujours, pour moi, le plus beau et le plus gentil.

Nous rencontrons différents types d'enfants et leurs attitudes envers nous varient de l'un à l'autre. Leurs tempéraments et leurs caractères sont diversifiés aussi, de sorte que la première impression est déterminante pour adapter notre savoir-être. Plusieurs enfants sont déjà imprégnés d'influences toxiques et ils ne savent habituellement pas pourquoi on les amène consulter. D'autres sont carrément méfiants envers les adultes et les étrangers. Le défi du premier contact est alors très grand!

Avec l'**enfant fuyant**, celui qui se cache, craintif, il faut patienter, se tenir un peu plus loin, faire semblant de le déjouer, lancer un ballon ou faire avancer une petite auto lentement en sa direction. Il finira par en rire et il se fera prendre au jeu assez vite. Ce petit rire ou ce regard attentif qui signent une accalmie ou montrent un début de confiance nous permettront de passer à une autre étape, vers une proximité un peu plus grande, et ainsi de suite.

Avec l'**enfant agité**, celui qui veut qu'on lui coure après et qu'on l'attrape, on peut essayer d'entrer dans son jeu, en le contournant ou en le laissant filer, comme s'il gagnait. Parfois, il faut l'oublier ou faire comme s'il n'était pas là. Il ne tardera pas à venir nous retrouver en raison de sa curiosité et de son intérêt à ce qu'on s'occupe de lui. On peut aussi l'impressionner avec nos nombreux jouets ou un bruit d'animal en peluche. L'idée, c'est de trouver une diversion attirante pour lui permettre de se fixer sur quelque chose et de se laisser approcher sans trop de mal.

Avec l'**enfant anxieux**, ce n'est pas toujours facile. On peut s'asseoir à ses côtés en ne lui parlant pas directement. On demande au parent l'âge de l'enfant, on fait des compliments, mais pas trop, car il nous voit venir facilement avec nos gros sabots. Il ne faut rien brusquer, on doit simplement trouver le bon mot, le compliment ou la petite parole pour le rassurer juste assez afin de pouvoir continuer. Il faut, dans certains cas, le déstabiliser un peu pour faire émerger un contact plus positif. Cela demande beaucoup de doigté et de patience aussi.

Parfois, dans des situations plus complexes, par exemple lorsque des adultes se boudent ou se chicanent dans la salle d'attente, je retourne à mon bureau en invitant tout le monde à me suivre et, m'adressant à l'enfant, je l'autorise à venir seulement quand il sera prêt. Cela lui permet une période tampon plutôt bienvenue. Il se sent déjà compris, puisque cela n'est sûrement pas le premier épisode du genre qu'il doit subir. Il ne tarde pas à venir nous rejoindre, parce qu'il sait qu'enfin on traitera des vraies choses.

> Les enfants me surprennent toujours par leur flair et leur capacité à saisir les liens d'où émergent leurs « problèmes », surtout quand ce sont leurs parents qui sont en cause.

Parfois, il vaut mieux sortir l'enfant de cette situation difficile en l'invitant, lui seul, à venir jouer avec nous, sans les adultes. Certains enfants préfèrent cette « fuite », même avec un étranger, et ils se sentent vite assez complices pour trouver une solution, même temporaire, à ce stress compliqué.

Les enfants me surprennent toujours par leur flair et leur capacité à saisir les liens d'où émergent leurs « problèmes », surtout quand ce sont leurs parents qui sont en cause. Ils sont au premier rang de grands dérangements et sont donc les témoins privilégiés de ce qui se passe dans l'intimité de la maison. Leurs messages nous permettent de tellement mieux comprendre les enjeux ainsi que les déclencheurs de leurs difficultés et de leur anxiété. On ne doit pas les manquer, ils sont trop précieux.

KARIM

Karim était un jeune de 11 ans qui présentait des difficultés d'apprentissage partiellement documentées, soit une dyslexie et une dysorthographie avec un TDAH associé.

L'orthophoniste de l'école l'avait rencontré, mais elle n'avait pas pu faire d'évaluation complète, faute de temps. Elle avait émis une hypothèse, mais ce n'était pas suffisant pour obtenir des services adaptés. L'école, de bonne foi, autorisait Karim à utiliser un ordinateur, à l'occasion, pour lui faciliter la tâche malgré l'absence d'un diagnostic ferme.

La mère, qui accompagnait l'enfant, a refusé la médication pour traiter le TDAH. Elle s'acharnait à aider elle-même Karim pour les devoirs et les leçons, avec une certaine obsession de voir son fils réussir.

Le comportement du jeune était adéquat à l'école, il ne dérangeait pas, il faisait du sport. On m'a rapporté cependant qu'il était souvent dans la lune et qu'il était plutôt introverti, fermé, « un peu dans son monde ». Comme il était agréable, poli et serviable, il passait souvent inaperçu, sous le radar, et il tombait donc facilement dans les failles du système. Ses notes étaient basses dans les matières principales, il faisait beaucoup d'efforts, mais les résultats ne suivaient pas. Il frôlait l'échec.

Sans diagnostic officiel, il se retrouverait au secondaire l'année suivante et il était probable que la marche soit trop haute pour qu'il réussisse. Comme il était déjà en grande difficulté, une nouvelle étape d'adaptation lors du passage à la grande école risquerait de décupler son anxiété, déjà importante. Il pourrait aussi ne pas recevoir une aide adéquate ni avoir accès aux outils technologiques essentiels à sa réussite.

Un peu plus tôt, il avait confié à son intervenante que sa mère le frappait régulièrement lorsqu'il échouait. Chaque jour, il craignait le retour à la maison ainsi que la période des devoirs et des leçons. Il s'agissait d'un vrai cauchemar pour lui, déjà passablement anxieux toute la journée à l'école. Il était craintif et parfois même terrorisé. Il voulait réussir et plaire à sa mère, mais il n'y arrivait pas. Il dormait mal et se refermait de plus en plus sur lui-même. Il y avait un risque réel et imminent qu'il décroche, qu'il se rebelle ou même qu'il pense au suicide : le terrain était fertile à ce genre de catastrophes anticipées.

Il y avait bien eu un signalement à la Direction de la protection de la jeunesse (DPJ) quelques mois auparavant pour toutes ces raisons, mais on avait vite fermé le dossier, n'estimant pas le risque assez sérieux. La maman s'était d'ailleurs engagée à cesser de le frapper. Elle avait avoué mettre énormément de pression sur son fils, mais elle le faisait pour le bien de ce dernier. Elle affirmait qu'il avait l'obligation de réussir.

Pendant l'examen clinique, il s'est bien présenté, il était intéressant, posait beaucoup de questions et, quand je lui ai demandé ce qu'il envisageait pour son avenir, il m'a dit vouloir enseigner. Je lui ai donc proposé de me lire un court texte. Il s'est concentré et a tenté de réussir cette épreuve, mais il a éprouvé de la difficulté et a buté sur plusieurs mots.

Subitement, il s'est effondré en pleurs, inconsolable. Il n'en pouvait plus. Il m'a avoué candidement ne plus vouloir se faire frapper, mais a ajouté qu'il aimait sa maman plus que tout. Il m'a confirmé avoir eu des idées noires ces derniers temps. Je lui ai demandé si je pouvais en parler à sa mère, mais il a refusé et voulait garder le secret. « Tu peux en parler un peu », a-t-il fini par dire. Il voulait réussir, on l'incitait à le faire, mais il n'y arrivait pas. Son sentiment d'impuissance était grand. Que faire?

J'en ai donc discuté avec la maman. J'ai souligné qu'il avait un trouble d'apprentissage, puis je lui ai mentionné que j'étais convaincu qu'il faisait de gros efforts et qu'il était super anxieux parce qu'il voulait lui plaire et réussir, mais qu'il n'y arrivait pas. J'ai suggéré qu'il ne fasse plus ses devoirs à la maison pour leur laisser du temps de qualité, juste pour le plaisir. On s'est entendus avec l'enseignante pour qu'il ait accès à l'aide aux devoirs à l'école et nous lui avons offert les services d'un tuteur bénévole un soir par semaine dans nos locaux. Elle a accepté et Karim m'a lancé un grand sourire.

À la visite de contrôle, quelques semaines plus tard, j'ai constaté que leur relation s'était grandement amélioré. Ils m'ont raconté leurs bons moments passés ensemble après l'école. Ils cuisinaient, faisaient de petites sorties au parc et il n'était plus question de stress ni de détresse. Curieusement, les résultats scolaires de Karim sont devenus meilleurs.

On a donc poursuivi notre plan initial en offrant une réassurance continue et du soutien adapté, en attendant un diagnostic plus précis et un traitement approprié. La relation entre la maman et son fils allait mieux et ce dernier ressentait beaucoup moins de pression. Les risques, eux, avaient baissé d'un cran.

Les jeunes deviennent habituellement très alertes quand on s'intéresse à eux, à leur bien-être et à leur santé. Ils craignent alors qu'on envahisse leurs sentiments cachés ou qu'on menace leur fidélité envers l'un de leurs parents. Ils ont tendance *a priori* à se méfier des adultes étrangers qui se mêlent de leurs affaires intimes et des personnes un peu trop envahissantes, parce qu'ils savent très bien qu'ils seront aux premières loges des conséquences de cette démarche.

Par pure fidélité envers l'un des parents ou par peur des retombées, ils peuvent facilement empêcher le déroulement de la consultation, même s'ils savent qu'ils peuvent en tirer des bénéfices. Ils craignent le changement, la tristesse ou la colère des parents, mais aussi la perte de certains gains chèrement acquis.

Par exemple, si l'enfant a gagné la permission de coucher avec ses parents au prix de crises et de pleurs incessants, il ne laissera personne menacer ce gain faussement sécurisant. Si une maman refuse de se faire un nouvel amoureux pour éviter de déplaire fortement à son enfant, ce dernier s'opposera à quiconque pouvant lui faire perdre le privilège de garder sa mère pour lui seul, malgré la forte perturbation émotionnelle qui s'y rattache.

L'apprivoisement est un processus délicat qui peut aussi mal tourner, mais c'est heureusement très rare. Il faut rester alerte et savoir arrêter au bon moment, soit en cessant de parler des choses trop sensibles, soit en utilisant des trucs simples, comme changer de place, interpeller une personne plus neutre ou détendre tout le monde en les faisant rire.

Quand ce n'est pas le bon moment, quelle qu'en soit la raison, il faut reporter la visite et mettre un terme à la tentative d'apprivoisement. Le fait de trop insister ne fera que nuire.

Les enfants qui viennent nous consulter ont généralement beaucoup de « vécu », trop même pour plusieurs d'entre eux. Ils ont aussi énormément de craintes et d'appréhensions, même s'ils souhaitent de tout cœur que les stress cessent de les perturber.

Les histoires complexes d'abandons multiples, de violences fréquentes ou d'abus répétitifs sont courantes dans notre pratique.

Certains des enfants qui se présentent à nous peuvent avoir vécu dans les dernières heures des situations graves et traumatisantes. Il faut donc pouvoir décoder les signes qui ne trompent pas. Plusieurs d'entre eux ont déjà, à 5 ou 6 ans, plus de vécu et d'« histoires lourdes » que plusieurs adultes ensemble n'en auront jamais dans leur vie entière. Il nous faut respecter ces états de détresse hors du commun.

Un jeune de 8 ans que je rencontrais pour la première fois avec ses deux parents et son enseignante a refusé d'emblée de me voir, avant même le début de la rencontre. Il leur reprochait de l'avoir amené consulter sans son accord et il était en crise totale. Je l'ai donc salué très vite dans la salle d'attente et, sans plus de paroles, je lui ai dit de revenir quand cela lui plairait. Il ne servait à rien d'insister à ce moment.

J'ai su par la suite la vraie histoire. Lors de notre première rencontre, il venait de passer une nuit atroce à cause d'un excès de violence conjugale entre ses deux parents. Il avait dû se cacher dans la garde-robe une bonne partie de la nuit en se bouchant les oreilles pour échapper à cette brutalité.

Dès que je l'avais salué dans la salle d'attente, avant même la mise en place de mes stratégies d'apprivoisement, ses angoisses de la nuit précédente avaient refait surface. C'est alors qu'il s'était mis à injurier tout le monde et à me traiter de tous les noms, au grand dam de ses parents et des intervenants. Il m'avait vu venir et m'avait dit qu'il n'avait rien à faire ici, qu'il avait refusé de se présenter mais qu'on l'avait forcé à venir. Il était dans une colère profonde et il n'y avait rien à faire pour le sortir de cet état de bouleversement important.

Je lui avais répondu calmement que je ne le verrais qu'à sa demande à lui et qu'il pouvait revenir s'il avait besoin de mon aide. J'avais mis fin à la consultation en ne l'invitant même pas à entrer dans mon bureau.

Ma première vraie rencontre avec lui a eu lieu quelques semaines plus tard. Il était dans un autre état : calme, poli et prêt à me voir sans condition. Il voulait d'abord me parler seul à seul et il ferait venir ses parents par la suite.

Il se sentait honteux et il essayait de se montrer à la hauteur, se confondant en excuses et me suppliant de lui pardonner : «Je ne sais pas ce qui m'est arrivé, ce n'est pas mon habitude et, oui, je veux vous voir. »

Je suis resté correct, me contentant d'un questionnaire purement médical pour en savoir plus sur ses antécédents de maladie et sur ses craintes physiques actuelles. La rencontre n'a duré qu'une quinzaine de minutes et je lui ai signifié que, pour ma part, j'avais terminé. Il m'a demandé quand on pourrait se revoir, en me suggérant que ce soit «le plus vite possible». L'apprivoisement était donc réussi, et cela lui donnait du temps pour exprimer ce qu'il tentait, de toute évidence, de camoufler depuis longtemps.

La troisième fois fut la bonne.

Il m'a parlé alors de ses craintes et de ses besoins. Il a abordé la question de sa peur de devoir subir les chicanes de ses parents régulièrement et du risque de les perdre. Il m'a parlé de son impuissance face à cette situation et de sa démotivation à l'école. Il se sentait responsable parfois des conflits de ses parents, comme s'il en était la cause. Il voulait que cela cesse et il me confiait le mandat de l'aider.

On a fait ensemble un plan, on a déterminé ce que, moi, j'allais aborder avec ses parents, ce que lui allait leur dire et ce que l'on garderait pour nous. Il a accepté mon offre de consulter un intervenant de notre clinique pour l'aider à contrôler ses émotions. Ç'a été une rencontre productive, même avec les parents qui, eux aussi, avaient cheminé pour trouver des réponses et des solutions. En quelques semaines, avec un peu de patience et la bonne foi des parties, on a pu amorcer un processus de réparation et de guérison en évitant les crises.

Ce chapitre est le noyau du décodage. Il faut en retenir l'essentiel pour réussir à mieux comprendre les enfants.

Apprivoiser l'enfant, c'est le séduire pour travailler ensemble à son bien-être en lui donnant un droit de parole. C'est aussi semer les graines de son bonheur en respectant ses aspirations et ses rêves.

« Où est Arthur ? » Apprivoiser, c'est aussi plaire pour ne pas effrayer et pour sécuriser une relation naissante. Il s'agit d'une approche de proximité nécessaire pour quiconque veut aller au-delà des symptômes et ouvrir les portes au bon moment. C'est la seule façon de mieux comprendre les souffrances ainsi que les blocages et de toucher l'âme de la personne.

Il faut apprivoiser pour décoder, comprendre, soutenir et guider.

Chapitre 5

UNE GRANDE VIGILANCE S'IMPOSE

Il existe bien des façons de détendre l'atmosphère ou d'apaiser les effets de trop grandes souffrances, surtout dans les débuts de rencontre ou lorsque l'intensité des propos se fait menaçante pour l'enfant qui se retrouve au centre des discussions.

Il faut se rappeler que, dans une entrevue de pédiatrie sociale, compte tenu de l'importance des enjeux et des propos, et considérant le fait que la rencontre se déroule souvent en présence de plusieurs personnes, le malaise peut s'installer rapidement chez l'enfant. Dès les premiers indices de cet état, il faut changer de sujet, se mettre en phase de réassurance et prendre le contrôle de la situation, ce qui permettra de continuer plus tard.

Ces malaises sont bien visibles : l'enfant est inconfortable, il arrête de jouer ou de dessiner, il se rapproche de son parent pour le consoler, il veut partir, il se fait menaçant. Il est absolument nécessaire d'en tenir compte immédiatement.

Il faut donc garder une vigilance de tous les instants et ne jamais perdre de vue l'enfant lui-même en pareille circonstance. Il passe par plusieurs émotions quand on parle des vraies choses. Il se sent coupable, infidèle, triste ou en colère, bien souvent, parfois même trahi ou effondré par moments, ce qui peut conduire à des réactions imprévisibles qu'il faut savoir appréhender et gérer si elles surviennent.

Il en va de même pour les parents, qui ne souhaitent pas toujours accueillir un étranger qui se mêle de leurs affaires.

Après tout, ils sont venus voir un médecin, et ils se retrouvent en compagnie de plusieurs personnes qui les observent et qui, pensent-ils, les jugent. Ils ne veulent surtout pas se sentir piégés en abordant des sujets qui touchent leur intimité et leur vie familiale. Il nous faut alors expliquer pourquoi on travaille en équipe, pour qu'eux aussi soient accompagnés s'ils le désirent. Nous devons toujours préciser que notre rôle est de bien soigner l'enfant et qu'il est important qu'on en sache le plus possible, pas pour juger, mais pour mieux aider.

> En cas d'émotions fortes ou de risque imminent de dérapage, bouger et rire sont encore une fois de très bons moyens pour réduire les tensions.

Si les parents se sentent oppressés ou coupables de certaines situations particulières ou de leur mode de vie, il faut absolument en tenir compte et désamorcer le moindre signe de désaccord de leur part. Ils peuvent aussi surréagir, se fâcher, fuir et claquer la porte. La prudence s'impose toujours en pédiatrie sociale en communauté, et il faut savoir doser nos interventions et nos propres émotions.

En cas d'émotions fortes ou de risque imminent de dérapage, bouger et rire sont encore une fois de très bons moyens pour réduire les tensions.

Je bouge beaucoup dans ces occasions. Je me lève et je fais le tour de la table. Je change de place, je me rapproche ou je m'éloigne de l'enfant. Parfois, je fais mine de l'ignorer, ou encore je me place derrière lui en lui massant les épaules ou en l'invitant à me faire un dessin.

Je m'occupe aussi du parent qui verse des larmes ou qui se sent soudainement coincé en appliquant les mêmes méthodes qu'avec mes petits patients. Dans le domaine des émotions, on est tous égaux, on se sent tous redevenir enfants quand vient le temps de les aborder. Nos besoins, en tant qu'adultes, sont également les mêmes, particulièrement ceux de se faire rassurer, réconforter et consoler. Alors je me lève, je leur touche l'épaule, je leur fais un compliment ou je les fais rire.

Détendre l'atmosphère permet une pause, un recul et un ajustement de part et d'autre.

Bouger crée une diversion et un vent de renouveau qui aident la personne à relaxer et qui lui permettent de s'éloigner temporairement du trop douloureux ou du trop menaçant. On y reviendra plus tard.

Il ne faut pas se priver de cet outil précieux. En certaines circonstances, on peut même sortir de la salle avec l'enfant pour lui offrir une pause, en lui faisant découvrir le jardin, la cour, un livre ou des jeux auxquels s'amusent d'autres jeunes enfants. Pour le parent, c'est une occasion de se recentrer et de s'expliquer entre adultes.

Bouger est toujours un moyen gagnant, car il surprend tout le monde : c'est comme si on appuyait sur le bouton *reset* quand rien ne va plus !

Le rire s'utilise facilement aussi pour créer des ondes plus positives. Dans les périodes trop sérieuses ou lors d'émotions fortes, quand tout devient tendu ou ennuyeux, quand un parent s'effondre en pleurs (Eh oui, les hommes aussi !), on change de rythme en riant.

On se raconte des histoires, on se fait des grimaces, on lance un avion de papier ou une balle en plein « interrogatoire », ce qui ne manquera pas de détendre l'atmosphère et de faire rire l'enfant. Il croira que, soudainement, on ne se prend plus au sérieux et il embarquera vite dans le jeu, en mettant de côté la lourdeur des choses.

On peut aussi chatouiller le jeune, lui lancer une boule de papier, lui demander de faire un dessin, se moquer d'une personne (consentante) autour de la table. Rien n'est ridicule pour changer l'ambiance dans cette étape importante de l'apprivoisement.

Les préliminaires à une rencontre clinique réussie en pédiatrie sociale sont parmi les meilleurs moments de ma pratique et de ma vie avec les enfants. Plein de choses se jouent lors de cette période de « découverte de l'individu », pendant laquelle on aura une première impression de son caractère et de certains de ses sentiments, qui nous serviront souvent de fils conducteurs pour la suite. On peut aussi vivre un grand « trac », de peur de ne pas trouver de pistes de solution, un peu comme l'acteur qui entre en scène et qui craint de ne pas offrir une bonne performance.

Chapitre 6

LES FILS
CONDUCTEURS

Les fils conducteurs se manifestent continuellement, au premier contact comme en cours d'évaluation. Il est impératif d'y être attentif et de se laisser guider par eux. Ils donnent un sens à la démarche et orientent le questionnaire. Ces « bouts de vraies choses » représentent pour le clinicien un avantage unique. Ils permettent de découvrir l'essentiel de ce qu'on recherche afin de cerner des causes et d'émettre des hypothèses diagnostiques plus précises.

Les parents sont souvent les meilleures personnes pour comprendre l'enfant dans son essence même. Chacun à leur façon, les mères et les pères peuvent prévoir et expliquer certains comportements de leur enfant ou sentir les émotions fortes qu'il peut vivre. Leurs paroles et leurs réactions à chaud sont donc aussi des indications précieuses qu'il ne faut pas ignorer.

Quand un parent cesse de parler, envahi par l'émotion, essaie de détourner l'attention sur autre chose ou passe subitement à des confidences inattendues, il nous faut l'écouter, le respecter et agir pour mieux le comprendre. Il ne faut pas non plus hésiter à le consoler, à compatir avec lui et à lui permettre de pleurer ou même de se mettre en colère quand c'est nécessaire. Ici, la « tolérance zéro » ne s'applique pas.

L'intervenant, pour les besoins de sa propre compréhension, doit se mettre dans la peau du parent pour suivre les mêmes fils conducteurs et les utiliser pour définir une situation problématique de façon objective. Le partenariat avec le parent est essentiel pour s'assurer de rester sur la bonne piste. Un clin d'œil, un geste de la tête ou une émotion de sa part nous inciteront à continuer sur la même voie.

L'histoire de cet adolescent de 12 ans que j'ai pu observer lors d'une supervision clinique me vient immédiatement à l'esprit pour illustrer cette idée de fil conducteur.

MARIO

Mario venait me consulter pour des céphalées et une possibilité de migraines. La mère faisait elle-même des migraines fréquentes et elle avait peur que son fils unique en soit affligé lui aussi. Après un accueil chaleureux pour mettre à l'aise le jeune et sa mère, l'équipe clinique a procédé à un questionnaire en règle autour de cette hypothèse diagnostique.

Toutes les caractéristiques et les causes possibles des maux de tête y sont passées. Cela a duré plus d'une demi-heure sans que rien de concret ne ressorte pour établir un diagnostic médical officiel.

Ses céphalées pouvaient avoir lieu à tout moment et avaient des durées variables. Il ne semblait y avoir aucun déclencheur connu. Le jeune les subissait chaque jour de façon prolongée, ce qui faisait en sorte qu'il ne sortait jamais de sa chambre pendant ces périodes fréquentes.

La maman, pour bien faire, l'avait inscrit à différents sports, au karaté et même aux scouts. Il y allait une journée, puis il abandonnait systématiquement le jour suivant pour se retirer dans sa chambre, son fameux « isoloir ».

Sur le plan familial, il avait été assez proche de sa mère pendant toute son enfance. Ce n'était pas un enfant turbulent, mais plutôt sage, et il faisait ce qu'il pouvait pour aider sa maman, qui travaillait fort pour gâter un peu son fils unique. Il voyait son père une fois par mois, sans avoir trop d'attentes envers lui. Celui-ci n'avait jamais été présent dans sa vie, ayant quitté sa femme au septième mois de la grossesse pour réapparaître deux ans plus tard, sans explications. L'adolescent n'était pas en colère contre son père, il avait juste une attitude neutre envers lui.

La démarche clinique tournait en rond : trois quarts d'heure s'étaient déjà écoulés et Mario n'avait toujours pas dit un mot. Il restait poli, mais neutre, comme avec son père. Il répondait à toutes les questions par des « ouais » et parfois par des « je ne sais pas ». La maman prenait alors le relais de son fils, qui ne semblait ni concerné, ni anxieux, ni intéressé. Il faisait son devoir, comme il avait dû le négocier avec sa mère.

Depuis le début de la rencontre, il affichait une attitude non pas négative, mais plutôt résignée. Il laissait voir qu'il accompagnait sa mère et que c'était elle qui cherchait de l'aide, mais pas lui. Il semblait plutôt s'en ficher et s'emmerder, en espérant que cela se terminerait le plus vite possible sans faire de peine à sa maman, qui manquait une journée de travail pour cette rencontre. Cela durait quand même depuis une heure.

Quand le médecin a emmené Mario dans son bureau pour faire l'examen physique, le reste de l'équipe et moi sommes restés seuls avec la maman, qui a éclaté en sanglots. Elle a partagé avec nous son immense inquiétude envers son enfant, qu'elle ne reconnaissait plus depuis quelques mois. Elle se sentait anéantie et même coupable de ce changement radical chez Mario. Il la fuyait et fuyait aussi le reste de sa vie avec ses prétendus maux de tête, qui lui permettaient de s'isoler davantage. Elle insistait pour nous convaincre que sa douleur semblait importante. On ne réussissait pas à trouver une explication médicale à ce phénomène.

En effet, l'examen n'avait rien révélé, et Mario n'avait pas dit un mot, même seul avec le médecin. Il faudrait lui faire passer des tests et des évaluations plus poussés. La visite allait prendre fin...

Je n'étais qu'observateur et j'hésitais à intervenir. Un coup d'œil à la travailleuse sociale m'a toutefois convaincu de ne pas en rester là. J'ai demandé le droit de parole et j'ai dit à Mario de me regarder dans les yeux, car je voulais lui poser une question qui me trottait dans la tête depuis le début de l'entrevue :

« Est-ce que tu veux mourir, Mario ? »

Il a continué à me fixer intensément et, sans hésiter, il a déclaré :

« Oui, toujours, chaque minute. »

Mario avait, depuis le début de la rencontre, déroulé un fil conducteur clair. Il ne s'intéressait pas à ses maux de tête. On l'ennuyait avec des questions inutiles pour lesquelles il n'avait aucune réponse à nous donner. Tout son corps nous indiquait qu'on était sur une fausse piste, mais on s'acharnait à étudier l'arbre, ignorant la forêt tout autour qui allait l'engloutir.

Mario était trop triste pour pouvoir parler et, pourtant, il avait réussi à faire des efforts énormes pour nous montrer le vrai problème, malgré une apparente neutralité. Les fils conducteurs ne trompaient pas. Il ne fallait pas passer à côté des vraies choses parce que ce moment n'allait pas se renouveler. Les maux de tête n'étaient qu'un prétexte pour sombrer dans un état dépressif encore plus profond et dans un grand isolement où le risque de suicide était élevé.

On pouvait maintenant traiter l'enfant et sa maman avec un plan découlant d'un diagnostic plausible. Il ne fallait pas attendre avant de passer à l'action.

Étonnamment, Mario a parlé un peu plus, et il a même fait des choix pour la suite des choses et pour assurer sa protection. De plus, il ne s'est pas fait prier pour signer un contrat de non-suicide.

Mais il s'en était fallu de peu...

Apprivoiser un enfant fait partie du déroulement d'une saine relation humaine, que ce soit pour les parents ou pour toute personne qui doit entrer en contact avec lui dans le quotidien. L'enfant, à sa naissance, ne connaît que les sons et les murmures de sa mère, puisqu'il les a entendus à travers le liquide utérin. Puis, il découvre progressivement une maman, un papa, une famille et d'autres personnes de l'entourage. Chacun à leur façon, ils apprivoisent l'enfant par des paroles, des caresses et des soins.

> Plus l'enfant vivra de telles expériences positives, plus il sera confiant et capable de se laisser approcher dans des environnements favorables.

Plus l'enfant vivra de telles expériences positives, plus il sera confiant et capable de se laisser approcher dans des environnements favorables.

Par contre, plus il sera angoissé par des relations fragiles ou stressantes, ou encore par des environnements toxiques, moins la confiance sera au rendez-vous, et plus les rapprochements seront difficiles, voire impossibles. D'où l'importance de créer et de favoriser un apprivoisement solide comme outil de résilience et de confiance.

Pour ce qui est de comprendre les enfants au moyen des fils conducteurs, il s'agit de la continuité d'un apprivoisement réussi, où le jeune peut établir une relation de confiance qui lui permet de manifester de différentes façons ses besoins et ses appréhensions. L'apprivoisement est évidemment utile pour tous, mais particulièrement pour les parents qui doivent apprendre à décoder leur enfant pour bâtir avec lui une relation plus saine.

Chapitre 7

UNE PRATIQUE
MOINS NORMATIVE

La pratique de la pédiatrie sociale en communauté ne permet habituellement pas d'utiliser les outils de mesure conventionnels de la santé et du développement, si ce n'est dans le cadre d'une recherche. L'approche se situe plutôt dans le non-dit, le non-mesurable. On peut facilement manquer l'essentiel si notre observation n'est pas suffisamment souple. Cette dernière ne doit être ni standard et ni préconçue, même si elle procède d'une démarche scientifique.

Par exemple, j'ai toujours été réticent en clinique à utiliser des questionnaires de dépistage ou d'évaluation qui permettent, en théorie, de trancher entre ce qui est normal et ce qui est considéré comme pathologique. Cela est particulièrement vrai pour les soupçons de TDAH ou même d'autisme chez l'enfant. L'évaluation en pédiatrie sociale en communauté doit compter prioritairement sur l'observation active, l'intuition et le décodage de tous les signaux exprimés par l'enfant.

On risque de passer plus facilement à côté du sujet si l'on utilise une fiche de normalisation, malgré le fait que cette technique soit de plus en plus répandue dans plusieurs champs cliniques. Au lieu de n'être que des indicateurs, les données recueillies de façon standard peuvent ainsi devenir des certitudes chez certaines personnes. Ces questionnaires n'ont donc que peu de place en médecine sociale, surtout dans la phase exploratoire, où rien n'est certain ni codé.

Combien d'enfants sont envoyés dans des classes pour élèves ayant des troubles de comportement à cause d'un diagnostic trop rapide et mal approfondi, alors qu'ils n'ont que des troubles émotifs ou des difficultés d'apprentissage, qui sont passés sous le radar ? Vous imaginez les conséquences !

Un bon exemple, d'ailleurs, est l'utilisation du questionnaire de Conners ou de ses équivalents. Il s'agit d'un test de dépistage du TDAH adressé au parent et à l'enseignant. On obtient ainsi pour chacun un score en chiffres, puis on compare les résultats. Le but est de départir ceux qui présentent les critères des enfants qui n'en présentent pas suffisamment.

Or, dans bien des cas, ce qui n'est qu'une possibilité devient un diagnostic sans plus d'approfondissement. On en arrive à considérer que des enfants ont un TDAH, alors qu'ils n'en présentent que certains critères apparents. Les conséquences peuvent être dramatiques.

Ce questionnaire subjectif ne sert en fait qu'à décrire les trois grands symptômes du trouble de l'attention, soit l'hyperactivité, l'impulsivité et l'inattention, ainsi que leurs variantes. Ce n'est nullement un test diagnostique, mais plutôt un indicateur qui doit s'ajouter à plusieurs autres afin de poser un vrai diagnostic.

On peut être agité pour plein de raisons : l'inquiétude, l'anxiété, le tempérament, l'ingestion de sucres concentrés, les émotions fortes, et j'en passe.

On peut être impulsif parce qu'on est intrépide, mal encadré, ou même pour réagir à des traumatismes au moyen de grandes peines ou colères.

On peut manquer d'attention parce qu'on décode mal une tâche, qu'on ne la comprend pas, qu'elle ne nous plaît pas ou qu'elle est trop difficile pour nos capacités. On peut être absent, « dans la lune », parce qu'on a la tête ailleurs, à cause de certaines inquiétudes ou de toute autre raison valable.

Ainsi, tous ces comportements pourraient nous faire obtenir un score positif selon la norme Conners et nous valoir un faux diagnostic de TDAH.

Combien d'enfants sont envoyés dans des classes pour élèves ayant des troubles de comportement à cause d'un diagnostic trop rapide et mal approfondi, alors qu'ils n'ont que des troubles émotifs ou des difficultés d'apprentissage, qui sont passés sous le radar ? Vous imaginez les conséquences !

C'est aussi un peu la même chose pour l'autisme ou le syndrome de Gilles de la Tourette (SGT). Ces problèmes de santé très spécifiques ont vu leur prévalence augmenter en flèche ces dernières années, car on a élargi les critères de dépistage et de diagnostic. Pourtant, les mêmes nuances que pour le TDAH s'appliquent.

On peut être rigide pour plusieurs raisons, asocial parce que cela ne nous plaît pas de socialiser et vivre dans son monde parce qu'on a subi des traumatismes sévères. On n'est pas autiste pour autant.

Même chose pour le SGT. Les tics sont fréquents chez l'enfant, surtout lorsque l'anxiété est de haut niveau. Ils sont aussi associés à une forme d'agitation qui peut ressembler au TDAH. Mais tous les tics ne sont pas des symptômes du SGT.

Dans tous ces cas, la prudence s'impose. Les contextes comptent pour beaucoup dans l'évaluation, et une observation sérieuse et continue s'avère nécessaire avant d'en arriver à une conclusion ferme.

Observer, approfondir, décoder l'enfant et le milieu, voilà des étapes incontournables dans notre champ d'action. Il faut trouver les failles sans précipiter les choses : la patience active va porter ses fruits. Le diagnostic peut bien attendre quelque temps, s'il s'agit de ne pas nuire à l'enfant et de mieux cerner ses besoins.

Le développement global et la santé mentale d'un enfant ne se mesurent pas selon des normes, puisqu'ils sont influencés par de multiples facteurs liés aux diverses compétences de la personne, tant sur le plan physique que mental ou environnemental.

L'évaluation d'un enfant nous réserve parfois bien des surprises qu'on ne peut ignorer. Il peut ne pas parler à 2 ans, mais posséder une intelligence vive et n'avoir aucun trouble de langage. Il peut marcher tard sans avoir de troubles moteurs parce que la motivation n'y est pas ou que la peur l'en empêche. Il peut être agité, impulsif et dans la lune sans avoir un TDAH. Il peut même vouloir mourir en bas âge parce que sa souffrance émotive est trop forte.

Dans le domaine de la pédiatrie sociale, dès le premier contact avec un enfant, on doit se mettre à la recherche des fils conducteurs qui vont d'emblée orienter et ajuster continuellement le processus.

Le fil conducteur, on l'a vu, est un signe, un signal, une commande même que nous offre l'enfant et qu'il nous est obligatoire de déceler en cours de route. Pour ce faire, une observation continue est exigée et une attention constante est de mise, parce que ces signaux sont discrets, fugaces et souvent à demi cachés.

Ce peut être un regard vers la maman qui est troublée par une question délicate. Ce peut être un geste de réconfort de l'enfant envers son parent. Parfois, lorsqu'on les laisse dessiner pendant l'entretien, ils vont reproduire certains de leurs sentiments, déchirer leur dessin ou le rayer par colère. On sait alors que l'on est sur une bonne piste et on pourra suivre ce fil conducteur.

Dans les moments plus difficiles de l'entrevue, l'enfant peut se mettre à bouger ou à détruire quelque chose, il peut se retirer dans un coin ou s'isoler pour ne plus entendre des choses intolérables pour lui. D'autres fois, il se rapproche de nous, comme s'il était rassuré d'entendre enfin les vraies affaires qui le concernent tellement.

Il faut se laisser interrompre et ne pas hésiter à explorer différentes pistes liées aux fils conducteurs. Il ne faut pas se priver de mettre de côté l'ordre logique du questionnaire pour tenter de découvrir les faces cachées de l'histoire, en se laissant guider par l'enfant et ses attitudes.

Les enfants, par ailleurs, pour réaliser ce processus de façon adéquate, doivent toujours rester en notre présence. Il faut les garder avec nous pour parler des choses d'adultes, même si ceux-ci ne sont pas toujours d'accord.

À l'occasion, ce sont les parents eux-mêmes qui veulent cacher la vérité trop dure à leurs petits. D'autres fois, ce sont des intervenants qui ne veulent pas parler des vraies choses devant eux, au risque de les blesser.

Je garde les enfants avec nous la plupart du temps pour deux bonnes raisons : d'abord, ils sont habituellement les victimes des histoires d'adultes et on ne leur apprend rien en en parlant ouvertement ; ensuite, ils se sentent compris et écoutés lorsqu'on aborde les vraies questions devant eux. C'est presque un début de thérapie quand on évoque les questions à l'origine de leurs souffrances.

De plus, contrairement à certaines croyances, le fait de discuter en leur présence de choses douloureuses qui les concernent leur apporte plutôt de la réassurance et une sorte de sécurité bénéfique.

Finalement, en excluant les enfants de l'évaluation, on risque de ne discuter qu'entre adultes, là où la raison domine, avec toutes ses retenues et ses barrières. L'enfant en présence active nous permet d'en apprendre encore plus sur ce qu'il vit profondément, puisqu'on peut alors noter l'apparition de signaux essentiels issus de sa sensibilité et de sa spontanéité. Ce qui, en fin de compte, nous permettra de bien analyser la situation.

Il n'y a rien de plus dommageable pour un enfant ayant un trouble affectif que de se faire diagnostiquer un trouble de comportement. Les traitements et les suivis pour chacun de ces troubles sont complètement différents, et procèdent d'une philosophie d'approche très particulière.

MARCO

Marco, 10 ans, s'est présenté à la clinique avec ses parents et une psychoéducatrice de l'école. Les parents étaient méfiants, et semblaient même irrités et peu ouverts.

J'ai appris par la suite que l'intervenante leur avait expliqué les conclusions de son évaluation de Marco dans la salle d'attente. Elle avait même suggéré l'utilisation d'une médication parce que l'école n'en pouvait plus des comportements de l'enfant. Elle a aussi laissé planer la menace d'envoyer leur fils dans une école spéciale au cours des prochaines semaines. Belle façon de commencer la consultation!

J'ai suggéré aux parents de recommencer à zéro, et de revoir leur histoire et celle de l'enfant, laissant subtilement entendre que je n'avais pas de diagnostic préconçu en tête. J'ai mentionné que Marco me semblait plutôt tranquille pour un jeune censé avoir un trouble de comportement. Les parents sont devenus d'emblée plus volubiles et détendus, prêts à collaborer.

Leur vie familiale n'était pas facile, leur logement était infect et insalubre et le père ne travaillait plus depuis quelques mois. De plus, ils ont admis la violence conjugale «des deux côtés» et qu'ils avaient pensé à se séparer. Ils n'ont qu'un seul enfant, Marco, qui a toujours admiré son père. Il le suivait fréquemment au travail et en faisait son idole bien souvent.

Tout avait basculé lorsque le père avait perdu son emploi et sa fierté. Il avait sombré dans la noirceur, nous a-t-il dit, puis il s'était remis à boire et à être violent, ce qu'il avait réussi à calmer depuis plusieurs années.

La maman nous a avoué que la situation était invivable et que les chicanes étaient quotidiennes. Elle était consciente que son fils avait changé au cours des derniers mois. Elle était inquiète et ne savait plus quoi faire. Les deux parents ont assuré que leur enfant n'avait pas de trouble, que de la peine.

Il s'avérait que les comportements reprochés à Marco dataient de quelques mois. Auparavant, c'était assurément un enfant à caractère vif, mais sans plus, facilement gérable à la maison et à l'école, d'ailleurs. Il semblait donc y avoir un lien clair entre les stresseurs familiaux et le changement opéré chez l'enfant. On a donc hésité avant de parler d'un trouble continu et ancré dans le temps.

Lorsque j'ai rencontré l'enfant seul, il a apporté lui-même les éléments manquants. Il a exprimé sa colère d'avoir perdu son lien privilégié avec son père, mais aussi ses craintes de voir ses parents se séparer, ce qui briserait ses repères. Il voyait d'ailleurs cette situation comme un abandon, ce qui le rendait extrêmement anxieux. Il n'était donc plus intéressé à l'école et il se foutait de tout le monde, sur qui il déchargeait ses sentiments les plus forts. Il était en fait très conscient du lien entre ses émotions et son changement de comportement. Heureusement, il a pu s'exprimer sur le sujet.

Pour Marco, il faudrait une approche douce, attachante et sécurisante pour apaiser ses sentiments et ses émotions contradictoires. Peut-être aurait-il aussi besoin d'une classe de soutien émotif, où l'encadrement se fait par l'apaisement et la gestion des émotions plutôt que par la contrainte. Mais, auparavant, il y avait beaucoup à faire pour sensibiliser les parents et l'école à adopter une approche différente envers Marco. On était alors loin du diagnostic de TDAH.

Dans le cas d'un trouble de comportement, il est toujours possible de prescrire une médication, et d'assurer un encadrement plus formel et parfois même contraignant. Pour Marco, cela aurait été une catastrophe puisqu'il se serait vite senti encore plus coupable et abandonné. Il avait besoin d'être rassuré, qu'on lui confirme qu'il n'y aurait pas d'abandon et qu'il n'était pas responsable des chicanes de ses parents. Il faudrait détourner son attention des problèmes des adultes et utiliser ses talents pour l'aider à passer à autre chose. On devrait aussi le tenir informé de tout changement qu'il pourrait avoir à subir, dans la plus grande clarté et avec l'aide d'un tiers en qui il a pleinement confiance.

Les parents de Marco ont vite compris les besoins de leur fils et ils ont accepté d'emblée notre plan. Pour la représentante de l'école, ce fut d'abord une déception, mais elle a vite compris que ce type de soutien ne pouvait pas nuire et avait le potentiel de changer l'enfant en mieux.

CHAPITRE 8

OBSERVER
UN ENFANT

L'apprivoisement fait partie des préliminaires, comme lorsque l'on met la table pour une grande occasion. On prépare et on personnalise tout, on prévoit les places de chacun, on outille les convives et on fait en sorte que tous les invités soient à l'aise.

Pour l'approche en pédiatrie sociale, il en va de même. Avant de se mettre « à table », on doit bien se préparer, puisque la rencontre d'évaluation se passe effectivement autour d'une table, où chacun a sa place et où personne n'est tenu à l'écart. On s'y met à l'aise, on peut y dessiner, y jouer, y manger même. Lorsque la table est bien mise, on peut commencer.

NICOLAS

Dans le cas de Nicolas, un jeune plutôt réticent à une visite à laquelle on l'avait convié de force, il avait suffi d'un premier contact simple dans la salle d'attente : une poignée de main après un bref contact visuel, un « Bonjour, je suis le Dr Julien », une vague question sur son âge et son niveau scolaire. Bref, j'ai montré un intérêt clair pour sa personne avant de saluer tous les autres, comme s'il était la priorité, comme si c'était lui qui avait autorisé cette rencontre.

Il a accepté de me suivre dans la salle avec un grand sourire et il a lui-même invité ses accompagnantes, sa mère et son intervenante scolaire, pour qu'elles nous y rejoignent. Il était libre de s'asseoir où il voulait : à la table avec les adultes, en retrait sur une petite chaise pour dessiner ou par terre avec un livre. Il a choisi de se placer à table avec nous. Il semblait à l'aise, ce qui est une condition essentielle à l'échange. La danse pouvait commencer.

L'enfant est le seul à choisir l'endroit où il souhaite s'installer pour des raisons de confort et de préférence, car c'est la personne qui doit être le plus à l'aise. Il peut d'ailleurs changer de place aussi souvent qu'il le désire, mais, chose certaine, il reste toujours inclus.

Autour de la table, le mouvement est d'emblée souhaité et encouragé. Si je vois que l'enfant semble mal à l'aise ou ennuyé, je l'invite aussitôt à se lever pour prendre une autre place, pour jouer ou pour me rendre un service. Pour ma part, je choisis un endroit d'où je peux tout voir et tout observer, surtout l'enfant lui-même, qui représente le centre de tout ce processus.

L'observation peut alors se déployer même si, de fait, elle a déjà commencé au premier contact. Comme elle est l'élément-clé de l'évolution de l'histoire ainsi que de l'analyse des faits et des solutions, on doit la poursuivre tout au long de la rencontre pour ne rien manquer des indices émis par l'enfant et pour orienter l'analyse.

Grâce à l'observation, on peut collecter les données associées à tout ce qui va se faire ou se dire. Elle permet justement de découvrir les non-dits et les sous-entendus, ce qui ne se dit pas et qui constitue l'information la plus importante dans notre domaine.

Un enfant ne dira jamais, ou rarement, qu'il est victime d'abus sexuels ou de violences physiques ou psychologiques.

Il ne parlera pas non plus de ce qu'il ressent quand il se sent trompé ou abandonné. Il ne dira pas clairement pourquoi il hait les chicanes de ses parents. Nous devons le deviner et le valider en cours de route.

Cette observation particulière nous facilite grandement la tâche et elle a l'avantage de permettre à l'enfant d'être entendu. De fait, un de ses droits fondamentaux est comblé, soit celui du droit de parole. Il se sent alors partie prenante de l'affaire et il devient ainsi un vrai partenaire.

D'ailleurs, l'article 12 de la Convention relative aux droits de l'enfant[4] confirme son droit d'exprimer librement ses opinions sur toute question l'intéressant, celles-ci étant dûment prises en considération, et lui donne la possibilité d'être entendu dans toute procédure judiciaire ou administrative le concernant.

> Un enfant ne dira jamais, ou rarement, qu'il est victime d'abus sexuels ou de violences physiques ou psychologiques. Il ne parlera pas non plus de ce qu'il ressent quand il se sent trompé ou abandonné. Il ne dira pas clairement pourquoi il hait les chicanes de ses parents. Nous devons le deviner et le valider en cours de route.

---

4. Article 12 : 1. Les États parties garantissent à l'enfant qui est capable de discernement le droit d'exprimer librement son opinion sur toute question l'intéressant, les opinions de l'enfant étant dûment prises en considération eu égard à son âge et à son degré de maturité. 2. À cette fin, on donnera notamment à l'enfant la possibilité d'être entendu dans toute procédure judiciaire ou administrative l'intéressant, soit directement, soit par l'intermédiaire d'un représentant ou d'une organisation approprié, de façon compatible avec les règles de procédure de la législation nationale.

Bien réussir une observation consiste à regarder attentivement tout ce que fait l'enfant, à surveiller tout ce qu'il exprime par ses attitudes, à découvrir ses mimiques, à reconnaître ses soupirs, ses regards et même ses pleurs. La vraie démarche scientifique née de l'observation est alors entamée, et le résultat va dépendre de cette période-clé de l'évaluation, puisqu'il permet de déterminer une action ciblant les vrais enjeux qui nuisent à la santé ou au développement de l'enfant.

Pendant toute la visite, je ne fais qu'observer mon petit patient, tout en participant aux échanges et aux interventions des adultes présents. Tout bouge, rien n'est statique. À partir des paroles, des histoires et des réactions de tous, on essaie de créer du mouvement, beaucoup de mouvement, et de recueillir des données.

C'est comme un jeu d'échecs où l'enjeu n'est pas d'infliger un échec et mat à l'enfant, mais d'utiliser toutes les stratégies permettant d'obtenir une meilleure compréhension de ses besoins.

Les deux pions importants, ceux qui bougent le plus dans cette situation, ce sont l'enfant, bien sûr, de par sa nature même, ainsi que le chef d'orchestre de la rencontre, dont le rôle est de faire émerger les contextes et les émotions, qui sont les deux outils de travail les plus puissants dans le domaine de la médecine sociale.

Le chef d'orchestre est celui qui guide, qui accorde, qui aligne, qui provoque, qui qualifie et qui vérifie. C'est aussi celui qui ouvre les pistes, qui met en place les processus, qui fait sortir les idées et les hypothèses, et qui met en scène tous les acteurs et les joueurs qui participent autour de la table.

Ce n'est pas une gestion facile puisqu'elle oblige à la réussite, soit celle de trouver les causes et des moyens efficaces pour soutenir un enfant en difficulté. C'est un processus complexe qui se déroule dans un cadre strict, dans le respect de l'enfant et de sa famille, et dans un mode de « coconstruction » équitable, où tous les acteurs sont importants et doivent être écoutés.

Les qualités de leadership du chef sont essentielles, ses compétences professionnelles doivent être affinées et sa capacité de coconstruire avec son équipe doit être remarquable. C'est également le gardien du temps et du style de l'entrevue. Il a l'obligation de synthétiser l'information, d'émettre des hypothèses, de mobiliser les intervenants et d'obtenir une forme de consensus pour le diagnostic global ainsi que pour la suite des choses.

Le médecin est celui qui tient habituellement ce rôle, puisque l'approche est d'emblée médicale. Dans certains cas, ce peut aussi être la travailleuse sociale, l'infirmière ou tout autre professionnel, selon sa crédibilité, son expérience et ses compétences.

Les contextes sont les principaux lieux d'origine des divers problèmes de l'enfant. Il y a la génétique, bien sûr, qui joue un rôle particulier dans certaines prédispositions (à des ennuis de santé importants, par exemple), mais il y a surtout les milieux et les conditions de vie, qui influencent la santé, le développement et la motivation. Ce sont de grands déterminants du bien-être en général sur lesquels on peut agir, que ce soit par le changement ou la prévention.

Dès l'embryogenèse, pendant la grossesse, puis à la naissance, pendant les premières années de vie, à l'école, avec la famille, les amis et le voisinage, en fonction de ce qu'on respire et de ce qu'on mange, divers événements se produisent et façonnent ce que l'on est et ce que l'on devient.

Ces facteurs déclenchent chez l'enfant des émotions et des comportements observables qu'on se doit de bien décoder. Ils sont aussi à l'origine de stress toxiques qui vont nuire à sa santé et à son développement global. Il peut s'agir de manifestations physiques, par exemple les maux de tête ou la rétention des selles, ou de signes émotifs, comme les crises explosives ou les comportements de retrait. Nous devons être, à ce moment, en mode décodage afin de comprendre et de déterminer les liens causaux, pour expliquer les problèmes et les dysfonctionnements de l'enfant que l'on veut aider.

La recherche des contextes influençant la santé et le développement est incontournable dans cette démarche, qui nous permet d'avancer vers une meilleure compréhension des origines des problèmes de santé de l'enfant.

L'être humain se caractérise par sa « passion » : ce sont ses moments de froideur et de chaleur qui déterminent ce qu'il est à l'instant même. Il peut se figer ou éclater, s'effondrer de douleur ou se remplir de colère. Il peut dominer, abuser et faire preuve des pires violences. Il est aussi capable d'empathie et de générosité dans ses meilleurs moments. De plus, il dépend fortement de son estime de soi et de sa capacité d'amour, qui assurent un équilibre important pour calmer ses appréhensions.

L'enfant est humain et représente la passion à l'état pur. Il n'a aucune barrière et très peu d'inhibitions. On peut le voir comme un véritable miroir de ce qu'il est et de ce qu'il vit. On peut décoder un enfant beaucoup plus facilement dans cet état brut que les adultes, qui s'entourent d'une foule de pelures de différentes épaisseurs pour masquer leurs sentiments et bien camoufler leurs secrets.

L'enfant est limpide au premier regard, c'est un livre ouvert sur plusieurs pages et différents chapitres en même temps.

CHAPITRE 9

UNE HISTOIRE
VAUT MILLE « MAUX »

L'histoire de l'enfant et de la famille vaut le détour.

On peut souvent retracer dans l'histoire et le parcours de l'être humain plusieurs indices qui aident à comprendre des situations et des motivations qui le conduisent à des comportements ainsi qu'à des actions que l'on tente d'expliquer.

Les souffrances profondes résultent de faits et d'événements du passé ou de blessures chroniques, qu'on appelle souvent « polytraumatismes ». Plus il y en a et plus ils sont ancrés dans les fondements de la personne, plus ils sont difficiles à déloger.

Ainsi, un enfant ayant subi des traumatismes répétitifs ou n'ayant pas pu bénéficier d'un attachement sécurisant en bas âge va présenter des comportements liés directement à ces carences ou à ces abus. De même, sa socialisation sera déficiente ou erratique si ses difficultés sont liées à l'attachement ; sa colère sera explosive et imprévisible si son enfance a été marquée par l'abus.

L'approche de guérison doit prendre en compte ces liens de cause à effet pour amorcer l'aide. Il ne faut pas trop s'y attarder cependant ; ils permettent provisoirement de trouver les codes d'explication et de rendre possibles des actions conséquentes.

L'enfant qui n'a pas été aimé a besoin de soins, mais surtout d'une dose d'amour continue et intensive. Celui qui n'a connu que la violence et le rejet doit être apprivoisé différemment et plus longtemps. Celle qui a été abusée et blessée profondément se méfie généralement des hommes et nécessite une approche plus que respectueuse.

Je dois souvent préciser aux parents un peu inquiets de nos questions indiscrètes qu'une connaissance approfondie de l'historique nous permet de mieux saisir les besoins actuels des enfants. Elles ne servent jamais à poser un jugement sur eux. Nous sommes loin du voyeurisme et de la pitié. Nous cherchons plutôt l'action qui sera la plus efficace, car il n'y aura pas de seconde chance.

> Les moments-clés de notre parcours de vie façonnent ce que nous sommes et ce que nous devenons. Beaucoup de nos comportements et de nos réactions sont déclenchés par notre histoire de vie et y sont encapsulés.

Comme pour les contextes, l'histoire de chacun permet de préciser les déclencheurs, les impulsions de même que les angoisses profondes qui sont les sources des graves problèmes sur lesquels nous voulons agir.

L'histoire n'est pas étrangère non plus à la genèse de certaines maladies somatiques ou psychologiques. Il est donc pertinent, pour une évaluation approfondie, de bien écouter le vécu unique de chacun.

L'histoire dont on parle va bien au-delà des facteurs de risque et des antécédents médicaux. Elle vise plus précisément les blessures de parcours et les traumatismes courants. Elle cible les influences et les contraintes qu'a pu vivre l'enfant.

Pour arriver à en savoir plus sur le vécu de l'enfant, les mots ne suffisent pas. On doit surtout s'attarder aux mimiques, aux réactions imprévues et aux non-dits pour s'assurer de ne rien manquer.

L'histoire a aussi tendance à se perpétuer naturellement. Elle s'imprègne dans le façonnement de la personnalité de l'enfant, comme pour laisser l'empreinte de ce qu'il va devenir. Elle est une sorte de *blueprint* des qualités et des défauts de notre trajectoire. Peut-être que l'expression « Être né pour un petit pain » permet d'illustrer l'impact de cette cartographie de notre existence, qui dure et qui perdure.

Pendant plusieurs générations, plusieurs d'entre nous ont appris qu'ils étaient « nés pour un petit pain », comme si c'était un mauvais sort qui les suivrait toute leur vie. On le disait, on y croyait et, dans certains cas, on l'enseignait même. Il fallait être humble, baisser la tête et accepter d'avoir une valeur moindre. On ne pouvait donc pas réussir ni aspirer à de grandes choses dans cet esprit de rapetissement et de fausse humilité.

Puis, l'histoire a changé, le monde s'est transformé et tout est devenu possible à l'époque des baby-boomers, qui prenaient enfin le contrôle de leur vie. Il n'y avait plus cette obligation incontournable de naître et de vivre pauvre. Subitement, chaque individu pouvait aspirer à réussir et même à devenir riche, si cela lui chantait. J'ai été sans contredit un témoin et un bénéficiaire de cette période marquante.

On note aussi des mythes ancrés depuis toujours, par exemple : « Tel père, tel fils » ou « Telle mère, telle fille », comme si c'était une fatalité à laquelle on ne peut se soustraire en tant que descendant. J'entends encore souvent des parents lancer ces expressions pour expliquer les carences ou les comportements de leurs enfants, sous-entendant ainsi qu'on ne peut pas les changer et qu'ils seront obligés de vivre avec toute leur vie. Pour l'enfant qui entend ces mots de la bouche de ses parents, il n'y a pas grand espoir. Il se sentira déjà condamné à suivre les traces de la famille, et il risque de reproduire des mauvais plis qui ne lui appartiennent pas et dont, pour cette raison, il pourrait justement se débarrasser.

MARISE

Marise avait toute une histoire derrière elle. On s'était rencontrés alors qu'elle venait d'avoir 5 ans. Elle vivait dans une grande précarité, dans une famille « pauvre » et sans beaucoup de ressources.

Cette fillette était très vulnérable et je m'inquiétais beaucoup pour elle, compte tenu des risques quotidiens qui la menaçaient. Elle vivait seule avec sa mère, peu protectrice, et des chambreurs qui changeaient continuellement. Il arrivait fréquemment qu'elle soit gardée par ces personnages peu fiables.

Ses conditions de vie étaient toxiques : logement insalubre, milieu morbide, violence, manque de frontières entre elle et les adultes. Pourtant, elle réussissait à l'école lorsqu'elle était présente et elle était populaire auprès de ses pairs.

Marise possédait un éclat impressionnant et un énorme potentiel. On la sentait différente de son milieu. Vive et intelligente, elle était malgré tout coincée dans un conflit de fidélité envers sa mère. Elle lui pardonnait tout et elle la vénérait même, et elle la défendait dès qu'on abordait des questions plus sensibles pour l'aider et la protéger.

Nous avons réussi à garder des liens de proximité avec la famille et la mère m'autorisait à prendre soin d'elle, vu qu'elle me faisait confiance en tant que médecin...

Comme son potentiel était grand, nous avons pris la décision de l'inscrire dans un collège privé, qui offrait des formations gratuites sur une base humanitaire. Elle a reçu plein d'aide pour passer l'examen d'entrée et elle a été soutenue pendant sa première année du secondaire, qui a eu lieu dans un milieu totalement différent et clairement plus compétitif.

Je croyais en sa réussite et je pense que Marise y a cru pendant quelques mois. Mais vers la fin de l'année scolaire, son comportement a changé, elle ne travaillait plus aussi bien. Elle me disait que c'était passager et qu'elle allait se reprendre, mais nous avons dû nous rendre à l'évidence : la marche était trop haute entre son milieu et l'école privée !

Dans son monde, on ne cessait de lui répéter qu'elle changeait trop vite et qu'elle allait un jour snober ses origines. Elle a fini par me dire, en larmes, que c'était trop dur pour elle. Elle ne se sentait pas à sa place et elle voulait retourner chez sa mère. Elle préférait être la meilleure dans son patelin que « passable chez les riches ». Elle se croyait « née pour un petit pain » : voilà ce qui m'a désolé le plus dans cette histoire.

J'ai moi-même vécu cette passe difficile quand mes parents ont obtenu une bourse pour m'envoyer dans un collège privé au secondaire. Mes amis et moi nous étions réunis dans une taverne, et ceux-ci m'ont signifié leur désaccord : « Tu vas changer, tu ne nous reconnaîtras plus dans quelque temps et tu vas nous perdre. » Ce fut pénible. Je leur ai expliqué maladroitement que cela n'arriverait jamais, mais, bien sûr, ils n'en croyaient pas un mot. Je dois avouer aujourd'hui que j'ai effectivement perdu contact avec eux quelques mois plus tard, mais pas par snobisme. J'ai eu la chance d'être soutenu par ma famille, mais pas Marise, malheureusement.

Marise a pensé pendant un certain temps qu'elle pourrait réussir, possiblement à cause de la pression que j'exerçais pour qu'elle y arrive. Toutefois, pour cette jeune fille élevée dans un environnement assez pauvre, « née pour un petit pain » et sans soutien de la famille ni du milieu, l'écart devait être trop grand, puisqu'elle a quitté le collège par la suite et nos liens se sont malheureusement taris.

Puis, après des années d'éloignement, elle est venue me saluer avec son ami, heureuse d'avoir terminé son secondaire 5 et de s'être trouvé un emploi dans un magasin.

Pour Marois, une autre patiente, il en a été tout autrement. Elle venait d'un milieu différent, et sa famille aspirait à sa réussite, en plus de l'encourager constamment à se dépasser.

> L'histoire, la culture, les conditions de vie et le soutien du milieu font tous la différence pour assurer la réussite d'un enfant.

L'histoire, la culture, les conditions de vie et le soutien du milieu font tous la différence pour assurer la réussite d'un enfant. Le vécu de l'une a été parsemé d'embûches et d'éléments de non-motivation, tandis que l'autre, Marois, a eu toute la confiance de sa maman pour s'assurer une vie meilleure.

MAROIS

Marois avait elle aussi toute une histoire derrière elle. Elle avait 11 ans quand je l'ai connue. Elle venait du Liban et elle vivait assez pauvrement avec son frère, plus âgé qu'elle, et sa maman, qui désirait que ses enfants réussissent à Montréal.

Elle avait immigré deux ans plus tôt pour fuir la guerre et les violences atroces qui se passaient dans son pays d'origine. Le père avait sauté sur une mine juste avant leur départ pour le Canada et on leur avait accordé rapidement le statut de réfugiés.

Marois avait de bonnes notes à l'école primaire, sauf quand elle vivait des angoisses post-traumatiques qui n'en finissaient plus de l'envahir. Je pensais que le secondaire pourrait être extrêmement difficile à gérer pour elle. Nous lui avons donc proposé l'école privée gratuite pour qu'elle soit dans des conditions plus facilitantes, vu ses antécédents. La mère et la fille ont sauté de joie.

Depuis, elle a terminé son secondaire 5 avec excellence et se prépare pour le cégep. Elle veut devenir médecin pour aider les gens.

Notre histoire nous façonne donc en bonne partie, mais on sait maintenant qu'elle ne nous tient pas en laisse et que, si on décide de ne pas la suivre, on peut se développer pleinement. On peut la changer, la transformer et même la réinventer complètement pour notre propre bien-être.

L'histoire se documente et se comprend. Elle est utile à bien des égards pour décoder des influences et des inspirations antérieures. En aucun cas elle ne doit être un déterminant obligatoire de notre état de santé ou de notre développement.

Tous ensemble, on ne peut changer l'histoire passée, mais on peut certes influencer celle à venir pour assurer le bien-être des enfants. L'avenir appartient à chacun et

Tous ensemble, on ne peut changer l'histoire passée, mais on peut certes influencer celle à venir pour assurer le bien-être des enfants. L'avenir appartient à chacun et les contraintes du passé ne doivent pas nous empêcher de réussir.

les contraintes du passé ne doivent pas nous empêcher de réussir.

Lors d'un événement organisé pour des jeunes du quartier, un adolescent, Diego, a fait une gaffe monumentale : il a volé le cellulaire d'un ami. On a retrouvé l'appareil facilement grâce aux nouvelles technologies, qui ne laissent personne en paix. Diego a nié et juré que c'étaient des amis à lui qui avaient fait le coup, mais finalement il a accepté, en guise de réparation, de se joindre à l'équipe du Garage à musique.

Diego était sur une trajectoire de délinquance et recevait peu de soutien de sa famille. Il avait pratiquement décroché de l'école et n'avait pas d'espoir de réussite autre que celle de petits délits. Toutefois, dès son arrivée au Garage à musique, on a découvert un jeune plein de talent.

Un an plus tard, il était devenu un musicien hors pair, il conseillait des enfants plus jeunes et il avait de plus grandes ambitions, comme faire des études universitaires. Il jouait même un rôle positif auprès de ses frères et sœurs.

CHAPITRE 10

DE LA VULNÉRABILITÉ

On ne naît pas vulnérable, sauf en certaines occasions bien particulières. Par exemple, si notre mère a consommé pendant une bonne partie de sa grossesse, si on a manqué d'oxygène à la naissance ou si la génétique nous a fait défaut, le risque de se retrouver dans un état de grande fragilité est alors bien réel.

Des traumatismes crâniens peuvent affaiblir nos capacités globales et, lorsqu'ils sont répétés, nous conduire à des pathologies débilitantes. Des disqualifications de toutes sortes peuvent atteindre notre estime de soi et notre confiance. La pauvreté chronique d'une famille et les stress toxiques qui y sont souvent rattachés ont aussi un impact sérieux sur le développement du plein potentiel des enfants.

La vulnérabilité est donc personnelle et mesurable jusqu'à un certain point lors d'une bonne évaluation clinique. Elle sert clairement de trame de fond pour préciser la nature des difficultés et, surtout, pour concevoir un plan d'action efficace pour la contrer ou en diminuer les effets néfastes.

Il y a plusieurs facteurs de vulnérabilité, dont la grande pauvreté, les carences, la négligence, les abus, les abandons et les disqualifications de toutes sortes. L'enjeu des émotions, par contre, reste le plus grand déterminant de cette vulnérabilité qui cause tant de maux chez les enfants. Nous nous limiterons donc à ce facteur pour les besoins de ce document.

Si l'on part du principe de l'équité des chances que nous défendons et du potentiel humain auquel nous croyons, les actions que nous allons cibler tenteront justement de réparer les vulnérabilités du passé et de prévenir celles du futur.

LES ÉMOTIONS COMME DÉTERMINANTS DE LA VULNÉRABILITÉ

On parle souvent des émotions, de la façon dont elles se manifestent et de leur enjeu pour expliquer plusieurs problèmes d'enfants en clinique.

En tant qu'humains, nous sommes des boules d'émotions et c'est tant mieux la plupart du temps. Dans les meilleures circonstances, cela nous permet de créer, de plaire et de tailler notre place dans la vie.

C'est aussi une base importante de la créativité. Dans les situations plus sombres, elles peuvent devenir un frein au développement et au bien-être, et leurs capacités destructrices sur l'être humain sont bien connues.

> Les émotions sont des médiateurs et des canaux par où passent les soubresauts de la vie. Elles fournissent de multiples informations sur la nature du développement et des comportements des enfants. Ces derniers sont particulièrement sensibles au débordement d'émotions.

Quand des émotions fortes, comme la peine ou la colère, nous envahissent, on réagit normalement de deux façons : soit on se retire dans un état qui frôle le marasme, on s'isole et on se laisse envahir par des idées sombres ; soit on sort notre côté vengeur ou violent, ce qui n'est pas beau à voir en général.

Les émotions sont des médiateurs et des canaux par où passent les soubresauts de la vie. Elles fournissent de multiples informations sur la nature du développement et des comportements des enfants. Ces derniers sont particulièrement sensibles au débordement d'émotions.

En cours d'évaluation, il importe d'analyser toutes les émotions survenant chez l'enfant et les membres de sa famille. Elles peuvent être flagrantes ou très subtiles, mais chacune est importante et doit être prise en compte. Celles véhiculées par les pleurs et les regards sont les plus faciles à observer, alors que celles se manifestant par des silences et des colères sont les plus ardues à gérer.

L'enfant inconsolable dans les bras de sa mère ou de son père nous en dit beaucoup sur les stress vécus par la famille. Celui qui lance un regard fruste au parent qui nous livre avec émotion un secret de vie bien gardé nous fait comprendre qu'il en sait beaucoup plus qu'on le pense. Si, en plus, l'enfant se déplace pour s'approcher de son parent, il faut comprendre qu'il s'est peut-être donné comme mission de protéger ce dernier.

Les enfants sont très liés à leurs parents et, surtout, ils leur sont très fidèles. Ils sentent tout, même à travers les portes. Ils entendent ce qui se passe la nuit alors qu'on pense qu'ils dorment à poings fermés. Ils sont aussi solidaires, alors ils ne dévoileront souvent rien sur leur père ou leur mère par crainte de leur déplaire ou de les perdre. Ils s'exprimeront plus librement au moyen de non-dits.

L'enfant qui se retire dans un coin, comme s'il était absent de la rencontre, a clairement quelque chose à cacher. Il écoute et accepte ce qui se dit en silence, pour réagir plus tard à la maison. Sur place, il bloque tout contact pour se protéger de trop grandes émotions ou par fidélité envers ses parents, tout simplement. Il est impératif qu'il reste présent, mais il faut le laisser tranquille, car il cheminera par la suite. Il faut en tenir compte dans le plan d'action.

L'enfant colérique, celui qui nous fuit, nous dit de mauvais mots ou nous frappe, est certainement le plus souffrant. Il faut à tout prix rester neutre, rassurer les parents et ignorer les débordements.

Un des membres de l'équipe, le moins menaçant habituellement, peut lui proposer un jeu, une rencontre subséquente ou une visite des lieux pour le soulager de cette tension trop vive.

Les étudiants, les résidents en médecine et les stagiaires en travail social ou en psychoéducation sont souvent bien placés pour jouer ce rôle : ils sont nettement moins intimidants puisqu'ils se contentent souvent d'observer.

Il est parfois nécessaire de provoquer des émotions pour faire émerger des secrets bien cachés ou des événements particuliers qui ont pu faire une différence. En partant du principe que les personnes de la famille connaissent les causes des difficultés de l'enfant et que ces dernières sont souvent dissimulées ou non admises, seule l'émotion peut les faire ressortir.

En clinique, on a donc l'obligation de permettre leur émergence pour bien faire notre évaluation. Il n'est pas rare que, après la période de « pudeur » normale des premières minutes, les émotions sortent spontanément et en vrac, particulièrement si l'apprivoisement s'est bien fait, dans un climat de confiance. En effet, quand tout va bien, on découvre assez vite le fond des choses, les secrets, les frustrations et tout ce que les adultes enfouissent sans en parler à personne. L'occasion est belle, puisque les enfants veulent se faire entendre et, s'ils ont confiance, ils se sentiront à l'aise de s'exprimer.

L'espace de parole est aussi important pour les parents que pour l'enfant. Il faut réserver du temps pour cet espace lors d'une évaluation complète. Une maman dira alors à voix basse et en pleurs qu'elle n'est « plus capable » et qu'elle pense à « placer son enfant » même si elle l'aime. Un papa avouera, honteux, qu'il se sent sur le point de frapper son fils depuis quelque temps et qu'il faut faire quelque chose pour éviter le pire. Ce sont des paroles précieuses qu'il faut accueillir humblement et, surtout, ne pas s'empresser de les dévoiler, sauf si l'on a le consentement de la personne.

Quand ce processus ne fonctionne pas, quand rien n'émerge, il faut changer de rythme. Parfois, je vais dire que je ne comprends pas, que je ne trouve pas d'explication à un changement de comportement, à de soudains troubles de sommeil ou à de nouvelles difficultés scolaires, par exemple. Il y a toujours un parent ou un intervenant pour prendre la relève, ce qui donne le ton à la suite des choses.

Je peux partir avec l'enfant pour aller jouer au ballon pendant que le reste de l'équipe va plus en profondeur avec les parents. Ainsi, je peux revenir avec des pistes nouvelles ou l'équipe aura mis le doigt sur d'autres éléments-clés qui orienteront l'évaluation.

Des questions plus directes aux parents peuvent s'avérer nécessaires pour faire sortir les émotions. « Étais-tu comme ça quand tu étais petit ? » « Te reconnais-tu dans ton enfant ? » « Ressemble-t-il au père disparu de ta vie ? » « As-tu déjà été abusé en bas âge ? » Ce type de questions permet habituellement de relancer la discussion sur les vraies choses puisqu'elles provoquent justement des émotions difficiles à dissimuler.

NICOLAS

Nicolas, 11 ans, était en cinquième année du primaire. Il nous avait été envoyé par l'école pour des inquiétudes concernant son manque de confiance en lui, de l'anxiété et un comportement d'isolement. Nicolas évitait le contact visuel d'après les intervenants. On le décrivait comme un enfant très sensible, à fleur de peau, qui pleurait souvent, et qui manquait d'attention et de motivation en classe. Il avait aussi des tics variés et fréquents, en plus de faire des bruits de bouche. Ses résultats scolaires étaient plutôt moyens et il était particulièrement faible en maths.

Quand je suis allé à sa rencontre dans la salle d'accueil, il regardait un livre pendant que son père ronflait. L'un était assis sur une chaise et l'autre sur le divan. Ils m'ont suivi docilement sans se parler ni se regarder.

Le père semblait un peu découragé devant cet enfant qu'il jugeait encore immature et trop sensible. Il ne savait trop quoi en faire, même s'il affirmait tenir à lui comme à la prunelle de ses yeux.

Nicolas avait une petite sœur de 5 ans à la maison, avec qui il s'entendait assez bien, mais il ne s'en occupait pas trop. Il jouait seul, ne sortait jamais, regardait la télé et jouait beaucoup aux jeux vidéo. Le dimanche, il allait à l'église en famille, mais il se mêlait très peu aux autres enfants lors des activités. La sociabilité n'était pas son fort, ce qui inquiétait aussi le papa.

À la maison, on parlait anglais et non la langue maternelle des parents, le tagalog, que l'enfant ne comprenait pas de toute façon. L'histoire néonatale de Nicolas était correcte et son développement s'était fait à peu près normalement, sauf pour le langage. Il avait souffert de bégaiement en bas âge et on notait d'ailleurs encore des hésitations lorsqu'il engageait une conversation.

La famille n'était pas riche, selon le père, malgré le fait que les deux parents travaillaient de longues heures. Le papa travaillait sur des bateaux, il devait donc partir pendant des semaines ou des mois à intervalles réguliers. Il revenait pour trois semaines pendant lesquelles il était disponible pour son fils, qu'il aimait, de toute évidence. Puis, il repartait. Cela durait depuis des années.

La mère travaillait de nuit, de 10 à 12 heures d'affilée, à très bas salaire. Elle n'était pas très disponible lorsqu'elle revenait à la maison, trop fatiguée, épuisée. Elle était décrite comme peu chaleureuse par le père.

Selon ce dernier, l'anxiété était présente chez l'enfant lorsqu'on lui demandait plusieurs choses en même temps, que ce soit à la maison ou à l'école. Il pouvait alors paniquer et bloquer. Il m'a répété que Nicolas pleurait souvent pour des riens et de façon subite. Il le trouvait bébé et n'en était pas fier. Il souhaitait clairement que son fils soit plus « garçon », plus viril.

Chose assez curieuse, toute cette conversation se tenait en présence de l'enfant, qui ne semblait pas s'en préoccuper. Il continuait de regarder son livre et je n'observais aucune réaction d'étonnement ou de questionnement ni aucune émotion, d'ailleurs, alors qu'il aurait été en droit de réagir en entendant les mots de son père. Il ne regardait même pas son papa pendant ce témoignage particulier.

Depuis qu'il était revenu de son dernier voyage en bateau, le père se disait encore moins disponible puisque sa propre mère (la grand-mère de l'enfant) était malade et hospitalisée. Le père m'a dit : « Je mange, je dors, je travaille. Voilà ma vie de tous les jours. »

Une gardienne, qui était une cousine, s'occupait des enfants la majorité du temps, mais selon le père elle n'en faisait pas plus qu'il ne le fallait.

De toute évidence, ces gens étaient coincés dans des conditions de survie qui les éloignaient les uns des autres, mais surtout de leur fils, qui semblait avoir abandonné bien des choses. Il m'apparaissait comme un réfugié dans sa famille, neutre et plutôt silencieux, ce qui le préservait de trop grandes souffrances dues à l'éloignement et à l'isolement.

Les parents étaient impliqués, ils travaillaient, et les enfants avaient un toit et ce qu'il fallait pour vivre. Le logement semblait correct, mais petit. Ils couchaient tous dans la même chambre. Dans cette situation hors de leur contrôle, ils arrivaient tout de même à payer le nécessaire et à survivre.

Quand je suis parti avec l'enfant pour l'examen, j'ai observé un changement radical. Pendant toute la conversation avec son père, il avait sagement dessiné, répondant à mes quelques questions avec des mots simples, même après de multiples rappels de ma part et sans jamais me regarder ni démontrer une quelconque émotion. Il s'était comporté comme s'il entendait une vieille rengaine qui n'avait plus de sens ni d'intérêt pour lui, malgré le drame évident qui se jouait entre son père et lui.

Lorsque je me suis assis à ses pieds, comme je le faisais d'habitude, alors que lui était placé plus haut, sur la table d'examen, il est sorti de l'ombre pour devenir soudainement volubile et animé. Il me fixait directement dans les yeux. Il se trouvait lui-même bébé, *childish*, qu'il disait, en accord avec son père, et a ajouté spontanément qu'il craignait de grandir.

Il a enchaîné ensuite sur son grand intérêt pour les films sur YouTube. Il voulait en faire lui aussi quand il serait grand. À propos de sa mère, il m'a dit qu'elle l'ignorait la plupart du temps, qu'elle dormait le plus souvent, qu'elle ne s'intéressait pas à lui en tant que personne. Il m'a aussi révélé qu'il adorait chanter, mais jamais devant les autres.

Je lui ai demandé s'il voulait participer à nos activités : «Oui», a-t-il répondu. S'il voulait voir notre musicothérapeute : «Oui.» Que je l'inscrive dans un camp : «Oui.» Il parlait et il exprimait bien ses idées. Il était prêt à sortir de l'ombre et des difficultés familiales.

On communiquerait donc avec les intervenants de l'école pour les rassurer et les impliquer dans le travail sur l'estime de soi et la maturation. On rassurerait ensuite les parents quant à leur «manque de temps», puis on deviendrait des agents de motivation pour cet enfant isolé, habitué à se débrouiller seul, mais incapable d'avancer.

Le papa était enchanté de sa visite. Il m'a répété qu'il aimait beaucoup son fils, mais que la situation l'inquiétait. Il se sentait soulagé d'en avoir enfin discuté ouvertement. Pour sa part, il essaierait de prendre quelques minutes pour se rapprocher de son fils. Il a avoué que notre aide tombait à point.

Dans les semaines suivantes, l'enfant, plus rassuré, a participé totalement à toutes les activités proposées.

Il n'attendait qu'une occasion comme celle-ci pour émerger de son état de latence. Il en a assurément profité pour s'en sortir et orienter sa vie différemment. Sa socialisation ne posait déjà plus problème. Il a pu exercer ses talents en musicothérapie et mettre en perspective la non-disponibilité de ses parents. À l'école, l'enseignante n'en revenait pas de son changement de comportement et de ses nouvelles motivations.

Dans cette situation particulière, il fallait se « mettre à niveau ». On se met à niveau, ou même « en sous-niveau », pour éviter toute forme de dominance, minimiser les craintes et laisser la parole émerger. Ce qui fut fait pour notre plus grand bénéfice.

Se mettre à niveau, c'est aussi une action physique. Lorsque les enfants sont assis sur la table d'examen, je me mets à leur niveau, ou même plus bas, en m'assoyant sur une chaise d'enfant. Ils se sentent ainsi moins envahis et plus en contrôle, ce qui est parfait, puisqu'ils sont alors moins craintifs et plus disponibles.

Dans l'exemple de Nicolas, la passivité de l'enfant rendait difficile une bonne interprétation de son état. Pourtant, ce même état d'inaction en disait long. J'ai su que tout irait pour le mieux quand Nicolas a saisi l'occasion d'émerger en me racontant ses rêves et ses aspirations. Tout est alors devenu plus clair. En position de dominance, il pouvait parler plus facilement, car j'étais plus petit que lui, il y avait moins de risque.

J'ai souvent des résidents qui ne demandent qu'à faire un examen physique. C'est ce qu'ils savent faire le mieux, mais ils passent habituellement à côté de ce qui est le plus important : le *feeling* de l'enfant. C'est sur la table d'examen que tout devient plus évident. On peut tester nos hypothèses, sentir les vibrations et les émotions lorsque l'on parle des vraies choses et utiliser cette intimité unique pour accueillir des confidences.

> Se mettre à niveau, c'est aussi une action physique. Lorsque les enfants sont assis sur la table d'examen, je me mets à leur niveau, ou même plus bas, en m'assoyant sur une chaise d'enfant. Ils se sentent ainsi moins envahis et plus en contrôle, ce qui est parfait, puisqu'ils sont alors moins craintifs et plus disponibles.

J'ai toujours besoin de quelques minutes avec l'enfant pour me faire une idée de ce qu'il est et de ce qu'il vit. À partir de ses réactions et de ses comportements, j'essaie de deviner ce qui le perturbe et ce qu'il souhaite que je fasse. Le reste de l'examen n'est que routine et technique.

Quand je demande aux résidents leurs conclusions à la suite de l'examen, ils me répondent que tout est normal, alors que le plus souvent tout ne l'est pas, surtout du côté du vécu et des émotions.

Il ne faut pas rater ces moments privilégiés, lorsque l'on est seul avec l'enfant dans une relation plus étroite. C'est le moment d'ouvrir la porte aux grandes questions et aux irritants de leur vie. En posant la main sur leur ventre, il est plus facile d'aborder leurs peurs. En chuchotant à leur oreille, après avoir utilisé l'otoscope, on peut poser des questions qui ne se posent pas à voix haute. En auscultant leur cœur, on peut se permettre d'aborder leurs émotions et leurs souffrances.

Il faut apprendre à utiliser ces instants propices à la confidence et aux secrets bien gardés. La première fois, l'enfant s'étonne, mais il embarque vite dans cet échange privilégié. Les fois subséquentes, il attend ce moment qu'il sait important.

Un adolescent un peu opposant lorsqu'il est entouré de sa mère et des nombreux intervenants sera plus porté à se confier lors de cet instant unique, confidentiel et axé sur ses besoins.

Un plus jeune enfant sera méfiant quelques secondes, mais l'ambiance détendue de l'examen auquel il participe à part entière l'amènera à donner des réponses spontanées à nos questions. Par exemple, le simple fait de l'autoriser à écouter son cœur ou à utiliser lui-même le marteau à réflexes déguisé en girafe rendra possible un échange plus profond.

En posant la main sur leur ventre, il est plus facile d'aborder leurs peurs. En chuchotant à leur oreille, après avoir utilisé l'otoscope, on peut poser des questions qui ne se posent pas à voix haute. En auscultant leur cœur, on peut se permettre d'aborder leurs émotions et leurs souffrances.

CHAPITRE 11

L'ENFANT
PARTENAIRE

L'enfant est notre plus grand partenaire lors de la première rencontre, de même que pour la suite des choses. Il est essentiel de le consulter pendant l'évaluation et de l'impliquer dans le plan d'action qui le concerne.

L'enfant est un être à part entière, un vrai citoyen, une pleine personne humaine. Ce n'est ni un petit adulte ni un citoyen de classe inférieure. Il vit, il respire, il pense et il aspire à un plein développement de sa personne et de ses talents. L'amour et la tendresse assurent sa plus grande motivation. Il est donc bien placé pour nous venir en aide.

Il ne nous viendrait pas à l'esprit de traiter un adulte sans le consulter pour s'en faire un allié dans la recherche de son bien-être. Il en va de même pour l'enfant, qui est lui aussi un véritable partenaire qui peut et doit orienter les actions à poser pour bien le soutenir. Il faut donc s'en approcher et l'apprivoiser pour mieux l'impliquer.

L'échange avec un enfant commence dès le premier contact, mais il s'intensifie avec le temps à un rythme qui varie d'un jeune à l'autre. L'apprivoisement et l'observation servent aussi à déterminer le mode ainsi que l'intensité de l'échange.

On peut devenir très proche de lui, en peu de temps, dès qu'on sent une ouverture de sa part. On prendra alors un bébé dans ses bras au bon moment, on chatouillera un enfant plus vieux, on fera même semblant de se courir après ou de se chamailler pour mieux s'associer.

Dans d'autres cas, si on sent une résistance, on sera plus prudent, plus distant, on utilisera un objet de transition, on tentera de lancer un ballon ou un avion de papier, on se mettra, mine de rien, à jouer aux Lego ou aux petites voitures en l'invitant à se joindre au jeu.

Il est facile de prendre certains enfants, de les toucher, de frotter leur dos pour les rassurer et s'en approcher davantage. Quand c'est possible, cela permet de constater leurs nœuds et leurs fragilités, de découvrir leurs réactions physiques et sensorielles.

> Il est facile de prendre certains enfants, de les toucher, de frotter leur dos pour les rassurer et s'en approcher davantage. Quand c'est possible, cela permet de constater leurs nœuds et leurs fragilités, de découvrir leurs réactions physiques et sensorielles.

On sent alors plus facilement ses craintes, qu'on peut apaiser, ainsi que ses malaises ou ses besoins non exprimés verbalement au moyen de retraits, de regards interrogateurs ou de petits frissonnements sur la peau. On développe ainsi, subtilement, la connivence et la confiance essentielles à un échange réussi.

L'échange peut être verbal, avec des questions pièges subites ou sans rapport pour briser la routine du questionnaire ou pour déstabiliser l'auditoire. Inviter régulièrement l'enfant à participer à la conversation s'avère souvent très utile. Lui demander son avis sur une remarque ou un regard du parent ou même sur la raison de ses larmes mène souvent à une explication que l'on recherchait. Le provoquer avec des mots-clés peut aussi être une bonne tactique pour aider à faire émerger des choses difficiles à dire ou à avouer.

« Est-ce que tu l'aimes, ta maman ? Parce que, moi, je ne pense pas que tu l'aimes, puisque tu la frappes et tu la menaces à la moindre frustration. »

« Pourquoi couches-tu avec ta maman ? Est-ce que tu as peur des monstres à ton âge ? »

« Qui aimes-tu le plus au monde ? »

« Qu'est-ce qui te fâche le plus ? »

« Fais-tu des mauvais rêves ? »

« Où étais-tu quand tu étais dans la lune ? »

À cette dernière question, une jeune fille de 8 ans m'a déjà répondu : « J'étais sur une planète avec des licornes ! »

On sera surpris des réponses spontanées qu'on peut obtenir grâce à ces stratégies simples, non seulement des enfants, mais aussi des parents. L'appel à la parole passe souvent par ces chemins un peu provocants, mais teintés d'authenticité qui interpellent ceux qui veulent de l'aide et qui n'en sont plus à cacher les vraies choses.

« Je ne savais pas qu'il faisait des mauvais rêves, il ne m'en a jamais parlé », m'a affirmé un papa qui ne comprenait pas pourquoi son enfant avait depuis peu des comportements inappropriés. Comme les chicanes de couple se passaient surtout la nuit, alors que l'enfant dormait, le père le pensait à l'abri des conséquences.

« Je me sens plus en sécurité quand il couche avec moi », m'a avoué une maman, émue par sa propre réponse. Elle cherchait à savoir pourquoi son enfant de 6 ans avait tant de difficulté à se séparer d'elle au départ pour l'école.

L'échange peut-être subtil, fait de nuances, de regards et de mouvements autour d'autres enfants. On crée ainsi une ambiance non invasive, propice à une conversation fructueuse.

L'enfant qui se colle sur sa maman, qui se cache le visage et qui nous jette un regard occasionnel n'est pas dans un état pour échanger. Il ne veut que bloquer le processus, qui lui est trop douloureux, ou qui envahit trop sa vie privée ou sa relation exclusive avec son parent. Son message : « Ne pas toucher ! » Mieux vaut alors tourner autour du pot et s'armer de patience. Parfois, une deuxième visite est nécessaire pour créer une certaine acceptation et, enfin, un début d'échange.

Il faut donc être créatif, patient et persistant. Certains enfants s'attendent à ce qu'on abandonne la partie face à leur attitude de retrait, de passivité ou d'opposition. Il ne faut surtout pas jouer ce jeu, car l'échange sera bloqué pendant longtemps.

Une mère m'a rapporté qu'un psychiatre, assis derrière son bureau, avait dit à son enfant, qui ne voulait pas parler, de revenir quand il serait prêt... car il n'avait pas de temps à perdre. Il n'est bien sûr jamais revenu !

Quand ça ne marche pas, on change de piste, on se lève et on essaie autre chose. L'échange est fait de petites choses, de différentes attitudes, d'essais et d'erreurs. Il ne faut pas avoir peur de se mouiller.

> Quand ça ne marche pas, on change de piste, on se lève et on essaie autre chose. L'échange est fait de petites choses, de différentes attitudes, d'essais et d'erreurs. Il ne faut pas avoir peur de se mouiller.

Dans tout ce processus, la clarté a toujours meilleur goût, au risque de déplaire ou de provoquer, encore une fois. Notre but est de découvrir les vrais enjeux, les causes et les déclencheurs. Dans ce cadre particulier, en cas d'impasse, il est bon de tester nos questionnements ou nos hypothèses, ouvertement et sans pudeur.

Dans le cas de Martin, 8 ans, nous étions dans un cul-de-sac et rien ne semblait expliquer son changement récent de comportement. J'ai donc pris les devants avec cette série de questions en rafale s'adressant à tous les participants, mais particulièrement, bien sûr, à la maman.

« Je ne comprends pas pourquoi votre enfant fait tant de crises, surtout à la maison. Je suis convaincu que vous l'aimez, mais quelque chose cloche. Qu'en est-il de son appétit, de son sommeil ? Est-il souvent malade ? Pensez-vous qu'il est souffrant ? Est-ce que quelqu'un lui fait des promesses qu'il ne tient pas ? Se fait-il intimider à l'école ? Pourrait-il être abusé par un gardien ou un membre de la famille ? »

En général, on obtient des réactions à ce genre de questions. Les gens présents autour de la table osent parfois émettre certaines explications devant l'impasse. Un enfant plus âgé peut reprendre certaines de ces affirmations pour nous confirmer une hypothèse ou, du moins, nous remettre en piste. De plus, ses yeux ou ses attitudes peuvent en dire long quand on parle ainsi, ouvertement, dans l'action et sans bâillon. Le partenariat est alors en train de se définir.

Pour Martin, ce fut l'occasion de nous dire : « C'est vrai, mon père me fait toujours des promesses qu'il ne tient pas. Il me dit qu'il va venir me chercher et il ne vient pas. Il ne m'a même pas appelé pour ma fête. »

Nous tenions enfin une cause pouvant expliquer certaines de ses réactions. Je me suis donc adressé à lui en disant : « Cela doit te faire de la peine, mais peut-être aussi es-tu en colère contre lui. » Il a rétorqué : « Je l'aime, mon père, mais je ne veux plus lui parler de ma vie. » Il était confus et dans l'ambiguïté depuis un certain temps, et il venait de lancer son appel à l'aide.

Ce n'est pas toujours simple de soutenir un enfant dans une telle situation, alors on commence par ce genre d'ouverture et on continue en l'aidant à trouver des explications à sa portée. On crée aussi un lien de confiance avec lui, on lui parle de certains de ses rêves et on tente de « réhabiliter » le père dans son esprit malgré son absence. Cela s'appelle un « équilibrage », qui permet à l'enfant d'affronter l'adversité.

KEVIN

Kevin était un jeune garçon de 7 ans que j'ai rencontré à la demande de sa maman. Elle vivait seule avec l'enfant et nous a fait part de sa grande inquiétude. Elle avait décidé de se confier à nous après avoir beaucoup hésité et parce que les voisins lui avaient conseillé de nous en parler, d'autant plus que l'école était aussi inquiète des comportements de l'enfant.

Kevin était souvent réprimandé dans l'autobus, car il parlait fort. Il nous a avoué se faire frapper régulièrement par un garçon de son âge. Il nous a aussi rapporté qu'il supportait mal le bruit dans la classe ou ailleurs lorsqu'il y avait plusieurs enfants ensemble.

Il visitait son père régulièrement « sous supervision » et disait que ça allait bien, mais que ce dernier ne respectait pas souvent ses promesses. Son papa n'avait jamais vraiment été présent à la maison.

Le problème principal était que, récemment, après avoir été puni par sa mère à cause de chicanes dans l'autobus, il s'était retrouvé dans sa chambre, où il avait tenté de s'étrangler avec un bandeau.

La maman, attentive, avait entendu son enfant se plaindre comme s'il avait de la difficulté à respirer. Elle s'était évidemment précipitée et l'avait découvert serrant le bandeau autour de son cou, en état de suffocation !

Le problème était encore plus sérieux, car c'était la deuxième tentative de strangulation de sa part dans une circonstance semblable. Quelques mois auparavant, la maman avait vécu le même scénario après un conflit entre elle et son fils. Il avait alors tenté de s'étrangler avec un foulard.

Sur le plan scolaire, tout semblait aller bien. Kevin avait 90 % dans la plupart des matières. Cependant, les intervenants le trouvaient changé depuis quelques mois.

Pour l'histoire, il s'agissait d'un bébé né en souffrance à trente semaines de gestation, pesant autour d'un kilogramme et ayant vécu une hospitalisation difficile de deux mois au début de sa vie. Selon la maman, son développement a été un peu plus lent globalement, mais sans retard important.

La mère a avoué d'emblée son impuissance et son incompréhension devant cette situation. Elle a enchaîné avec sa propre histoire, racontant qu'elle avait été elle-même une victime et qu'elle en portait les traces depuis toujours. Elle se questionnait au sujet des liens entre son état de victime, qu'elle peinait à dissimuler à son enfant, et les tentatives de suicide de celui-ci. Elle avait été longtemps abusée et disqualifiée par le père, malgré le fait qu'ils n'avaient jamais habité ensemble et qu'il n'était présent que pour de courtes visites occasionnelles et habituellement traumatisantes.

L'enfant était très conscient des grandes souffrances de sa maman et se situait en conflit émotif majeur dans un immense état d'insécurité. Il couchait avec elle, sinon il ne pouvait pas dormir. Il était attentif à ses moindres gestes et paroles. Elle-même ne pouvait dormir sans la présence de son fils à ses côtés.

En raison des circonstances, les deux étaient très fusionnels et dépendants, liés à la vie et à la mort dans la souffrance et les blessures. «Une vie d'enfer», a avoué rapidement la maman.

Elle nous a révélé qu'elle ferait tout pour lui. Il nous a dit qu'il voulait la protéger et qu'il pensait à elle continuellement. Le monde était devenu invivable pour le parent et pour l'enfant. La mère ne vivait que pour son fils et lui ne vivait que pour sa maman. Ils étaient totalement coincés ensemble.

Pour Kevin, tout débordement devenait intolérable, au point que son cœur risquait d'éclater à tout moment. Lorsque des irritants mineurs déclenchaient une extrême tension chez lui, la souffrance était telle qu'il ne voyait d'autre choix que de tout arrêter.

Il y avait d'abord eu de fortes crises de violence, pendant lesquelles il détruisait tout ou frappait la personne la plus proche. La situation a empiré quand il a essayé de s'enlever la vie, et il finirait par réussir dans ces conditions.

Il fallait agir vite et intensément, il n'y avait pas de temps à perdre. La rencontre a duré quarante-cinq minutes, pendant laquelle tout fut dit presque sans préliminaire, et il était moins une.

On s'est entendus sur un plan pour d'abord diminuer les stresseurs intolérables. Kevin aurait vite un Grand Ami[5] et une art-thérapeute pour lui donner de l'espace et des activités à faire à l'extérieur de cette situation morbide. Une vigie s'imposerait avec la maman, notre équipe et l'école pour éviter d'autres tentatives imprévisibles.

La mère serait accompagnée dans sa détresse et soutenue dans sa démarche, afin d'éviter que son enfant subisse une pression insoutenable en essayant de la sauver et de la consoler. Elle entreprendrait par la suite un suivi avec une travailleuse sociale ou une psychologue du CLSC.

Un avocat vérifierait avec la mère la possibilité d'éloigner le père toxique, qui créait une totale insécurité chez la mère et l'enfant. Une rencontre a aussi

---

5. Les Grands Amis est un programme de jumelage durable avec un enfant de nos centres de pédiatrie sociale en communauté. Les jumelages ont pour but de bâtir une relation d'amitié solide et basée sur la confiance, afin d'offrir à ces enfants des modèles positifs et une ouverture sur le monde qui les entoure.

été prévue avec ce dernier pour lui faire part de nos inquiétudes pour son fils, en espérant qu'il s'impliquerait dans le futur.

On a fini la rencontre avec la mise en place d'un contrat de non-suicide avec l'enfant, déjà un peu plus rassuré.

Quelques semaines plus tard, Kevin nous a visités en compagnie de son Grand Ami, avec lequel il entretenait déjà une relation plus mature. La maman respirait mieux et a commencé à nous parler de ses projets. La mère et l'enfant avaient appris à mieux gérer leur quotidien. Le père n'avait pas voulu nous parler, mais ses visites, si elles avaient lieu, seraient davantage contrôlées. La voie était ouverte pour apaiser leurs souffrances et pour qu'ils puissent mieux vivre.

L'enfant a besoin d'un partenaire adulte pour le guider, le protéger et le motiver. Ce peut être un parent ou toute personne significative pour lui. Il est évident qu'un lien trop fusionnel avec un parent, où les rôles se confondent et où les frontières disparaissent, peut faire un grand mal. L'enfant mal guidé qui doit jouer un rôle de confident ou d'adulte soignant envers son parent risque de se perdre complètement et d'abandonner son développement, et même sa vie. Pour Kevin et pour Christine, dont l'histoire suit, la situation était devenue intolérable et pathologique. Pour aider ces enfants, un partenariat nouveau doit émerger pour redistribuer les rôles et corriger une réalité insoutenable.

CHRISTINE

Elle s'appelait Christine. Elle était toute douce, mais étrange. Je la connaissais depuis deux ans. Son papa me l'avait amenée après des événements difficiles pour eux. Il voulait un docteur pour sa fille, même si elle n'avait aucune maladie.

Il venait d'en avoir la garde, puisque la maman, toxicomane, la mettait en danger, en plus de ne pas être disponible la plupart du temps pour s'en occuper et la stimuler. Le père était inquiet de se retrouver ainsi avec une jeune enfant et séjournait depuis peu avec elle dans un centre d'hébergement. «Les intervenants sont gentils avec moi et j'apprends plein de choses quant à mon rôle de père», m'a-t-il confié.

C'était un homme cultivé possédant un langage élaboré ainsi que des connaissances et des expériences multiples. Il avait fait des études collégiales et semblait s'être bien débrouillé dans la vie. Il paraissait cependant usé, plutôt résigné et passif. Il était évident qu'il ne l'avait pas eu facile. Sa fille venait clairement de rallumer quelque chose chez lui, et il n'avait pour elle que de bons mots, des paroles de protection et d'amour.

Dès les premières visites, j'ai été étonné des capacités de Christine. Elle a amélioré rapidement ses habiletés langagières et motrices. Elle restait plutôt frêle, mais était en bonne santé. Elle mangeait suffisamment pour que sa croissance soit acceptable et dormait bien, sans faire de cauchemars comme auparavant.

Elle s'était attachée profondément à ce papa qui ne ménageait rien pour s'en occuper convenablement. Ils ont ainsi développé une sorte de relation exclusive, mais l'enfant restait quand même facile d'accès pour les adultes en général. Christine se montrait toujours à la hauteur, répondant à toutes les questions avec une finesse inhabituelle.

Elle ne s'intéressait pas aux autres enfants et préférait jouer seule, en parallèle, lors de ses courts séjours en milieu de garde. Le papa finissait par la retirer de la garderie après quelques jours, car, disait-il, on n'y prenait pas soin de Christine de façon adéquate. Il a avoué facilement que c'était aussi parce qu'il s'en ennuyait trop.

Chaque rencontre, je m'étonnais de la maturité de la fillette et de son comportement plutôt inhabituel pour son âge. Au début, cela attirait mon attention et je la questionnais sur plusieurs aspects de sa vie. Elle répondait toujours lentement, avec un grand sérieux. Elle avait certainement une intelligence vive, supérieure même, mais elle restait étrange, profonde et lointaine à la fois.

Dès que j'arrêtais de la questionner, elle se mettait en pause et elle n'amorçait jamais de suite. Cela pouvait durer plusieurs minutes, pendant lesquelles elle était d'une grande passivité. Ses yeux ne m'envoyaient aucun message particulier, son regard était vide, difficile à jauger et me mettait même un peu mal à l'aise.

À notre dernière rencontre, alors que Christine venait d'avoir 6 ans, sa grande maturité m'a frappé davantage. Comme à son habitude, elle collait son papa, mais il me semblait que l'émotion n'y était pas. Lui pourtant me jurait qu'ils ne pouvaient pas se séparer. Il m'a avoué coucher avec elle parce qu'elle ne pouvait pas dormir si elle n'était pas à ses côtés et que, de toute façon, ils étaient bien ainsi.

J'ai proposé au père d'essayer de trouver un milieu de garde à temps plein à Christine pour l'aider à socialiser avec les autres enfants, mais aussi pour favoriser une certaine séparation. Je lui ai avoué que cette situation pouvait devenir problématique et qu'il devait assumer son rôle de père, et non d'ami ou de conjoint, ai-je ajouté, mi-sérieux, mi-rieur. Il m'a répondu que ce n'était pas nécessaire puisqu'elle allait déjà à la garderie deux demi-journées par semaine et que c'était bien suffisant. «Elle ne voudrait pas se séparer de moi plus longtemps», m'a-t-il avoué. Et lui non plus d'ailleurs.

À un moment, pendant l'examen physique, je lui ai demandé si elle rêvait. Vu sa réaction posée et silencieuse, j'ai pensé qu'elle ne comprenait pas le sens de ma question et je l'ai questionnée sur sa définition d'un rêve. Elle a pris une pause en regardant dans le vague, puis, après une grande respiration et fortement inspirée, elle m'a dit:

«Un bon rêve, docteur Julien, c'est quand il y a des princesses et le soleil!

— Mais qu'est-ce qu'un mauvais rêve alors?» lui ai-je demandé.

En suivant le même rituel que précédemment, elle m'a répondu:

«Un mauvais rêve, c'est quand papa me frappe... et je n'aime pas ça!»

Le père, qui avait tout entendu, a déclaré spontanément qu'il ne savait pas pourquoi elle disait cela. Il m'a avoué la gronder à l'occasion avec sa grosse voix, mais jamais il ne la frappait, affirmait-il.

J'ai demandé à Christine où son papa la frappait. «Sur les mains et je n'aime pas ça», a-t-elle répondu.

Christine, en bonne partenaire, venait d'ouvrir une brèche dans son monde parfait. Trop coincée, trop parfaite, trop mature et jouant un rôle intolérable pour son âge, elle affirmait enfin ne plus tolérer la situation. L'idée de la violence pouvait être réelle ou non, mais la fillette nous donnait enfin un outil précieux pour lui venir en aide. Elle nous signalait aussi que des changements devaient se produire.

J'ai rencontré le père seul quelques jours plus tard et il m'a fait sentir qu'il avait compris le message. Il nous a demandé de l'aider à bâtir une relation paternelle plus saine avec sa petite fille.

Christine est restée un mystère pour nous. Elle souffrait peut-être d'une forme d'autisme compte tenu de ses difficultés de socialisation avec les enfants en général, mais aussi en raison de sa rigidité et de son intelligence vive. Mais ses symptômes pouvaient également être liés à la relation pathologique qu'elle entretenait avec son père.

Le moment était clairement venu de remédier à la situation et il était rassurant de constater qu'ils souhaitaient tous deux changer le cours des choses. Déjà, après quelques semaines de thérapie corps-esprit, Christine semblait sortir de ses angoisses et prendre son envol. Le père, lui, trouvait le suivi difficile, mais il persistait et il souhaitait passer au travers.

L'enfant partenaire, c'est celui qui, conscient de sa souffrance, réussit à en parler avec un intervenant aidant qui inspire confiance et qui assurera une constance pour mener à terme le changement radical qui s'impose.

Dans les cas présentés précédemment, il s'agissait de découvrir les vrais enjeux, de créer une brisure dans la relation malsaine provoquée par le besoin « pathologique » des parents sans les disqualifier, de faire naître un attachement plus sécurisant avec des adultes significatifs et de rassurer l'enfant quant à l'importance de ce cheminement sur son bien-être.

L'enfant a le droit de partager toute l'information nécessaire au maintien de sa santé. Il a aussi le droit d'agir en toute connaissance de cause pour améliorer des conditions de vie néfastes à son bien-être. C'est le véritable sens du partenariat dont on parle et la plus belle façon d'assurer son respect authentique.

CHAPITRE 12

DÉCODER :
UN MOT MAGIQUE

Décoder, c'est interpréter, comprendre et tirer des conclusions.

C'est le moment important, celui des hypothèses diagnostiques et des faits prioritaires, une période de collecte menant à des constats constructifs pour la suite des choses.

L'observation a permis de mettre la table, de trouver des pistes ainsi que d'accumuler des évidences issues de faits historiques et cliniques. Le partenariat avec l'enfant et la famille s'est renforcé. C'est alors que la démarche scientifique peut commencer. On passe donc au décodage rationnel, mais sans laisser de côté l'intuition et les *feelings* qui colorent tout ce parcours.

Il ne faut pas négliger les évidences, celles qui viennent de l'expérience et des faits historiques indéniables, pour garder une vision globale du parcours de l'enfant. On n'a pas vécu des millénaires pour toujours recommencer à zéro. Les histoires, courtes ou longues, permettent beaucoup de corriger la vision scientifique et les connaissances récentes.

La connaissance évolue, bien sûr, mais il y a des lois de la nature plutôt inflexibles, particulièrement dans le domaine des émotions et du vivant. L'humain ne change pas tant que ça au fil des ans.

L'homme et son petit sont caractérisés par des constantes liées aux sentiments et à la survie. Notre côté animal est encore présent et les montées d'adrénaline vont toujours provoquer des réactions vives de contrôle, de combats ou de fuites. Il s'agit d'évidences qui ne changent pas avec le temps. On se base donc sur tout ce qu'il y a de plus prévisible pour mieux soigner.

En situation de grande vulnérabilité et de stress important, la bête refait vite surface, avec ses mécanismes, ses réflexes et ses outils de défense. Parmi ceux-ci, on trouve notamment l'attaque, les comportements violents, les états de vengeance et les stratégies de défense à la suite de traumatismes multiples. Il n'est donc pas surprenant que l'enfant les utilise.

Il en va de même pour les sentiments. L'attirance, l'envie, l'amour, la haine et la vengeance sont toujours d'actualité et souvent mal contrôlés, malgré tous les progrès de la médecine et de l'humanité. Seuls les thérapies adaptées et certains médicaments de dernier recours peuvent réussir à freiner des émotions et des comportements devenus néfastes ou dangereux pour nous-mêmes ou pour la société. À froid, on les verra revenir au galop.

Si les pistes qui ont été ouvertes lors de l'évaluation sont valides, on trouvera plus facilement des liens et des constantes, qui pourront être utilisés pour mieux comprendre et agir sur le sens ainsi que sur les origines du problème. Les gestes, les humeurs et les comportements qu'on a observés seront mieux interprétés à ce stade de la démarche.

> Le parent est et restera pour moi le meilleur guide pour soigner son enfant de tous les maux. L'alliance entre les parents et les intervenants à l'écoute de l'enfant n'en sera que plus puissante. C'est sûrement la meilleure façon de respecter intégralement les droits des enfants.

En ajoutant l'intuition aux évidences, il est plus simple de prioriser une interprétation majeure, la grande piste, et d'autres plus mineures, qui appuient l'hypothèse. C'est là toute l'importance d'allier la science et l'art, c'est-à-dire la science du connu observable et l'art du senti, de l'insensible, du non-évident et du non-palpable.

La capacité d'utiliser ces deux méthodes est un atout précieux pour quiconque souhaite mieux comprendre l'enfant dans toutes les dimensions de son être.

Il y a les livres de conseils et les guides, il y a les normes et les règles, mais il y a surtout l'intuition et le bon sens, qui sont – et devraient être – les outils les plus précieux des parents et des intervenants. Le mélange de ces deux éléments est encore mieux, d'où la nécessaire alliance des parents avec des intervenants respectueux et à l'écoute.

Le parent est et restera pour moi le meilleur guide pour soigner son enfant de tous les maux. L'alliance entre les parents et les intervenants à l'écoute de l'enfant n'en sera que plus puissante. C'est sûrement la meilleure façon de respecter intégralement les droits des enfants.

TROIS ENFANTS ET UN PETIT BÉBÉ

Deux parents sont arrivés avec leurs trois enfants et une stagiaire de centre jeunesse. Ils étaient dans un état d'affaissement et de colère avancé. Ce ne serait pas facile !

On sentait la frustration de la mère, l'irritation du père et la désorganisation des trois petits enfants. Ils n'avaient clairement pas le goût d'être à cette rencontre, à laquelle ils avaient été convoqués d'urgence par la DPJ, en dernier recours.

Je connaissais ces parents depuis quelques années déjà et je savais qu'ils faisaient, malgré toutes leurs difficultés, certains efforts pour corriger leurs lacunes, bien décrites par de multiples évaluations psychosociales. Je savais aussi que les enfants vivaient une situation difficile et inacceptable ; que ces derniers adoraient leurs deux parents, mais que leurs conditions de vie pourraient être meilleures ; que le père et la mère recommençaient assez souvent à consommer et que la violence était régulièrement au rendez-vous.

Ces derniers mois n'avaient pas été de tout repos, car ils avaient eu leur lot de problèmes liés à la consommation : dépression, ennuis financiers graves, dettes et perte de l'aide sociale. Le signalement à la DPJ faisait état de négligence importante envers les enfants et on en était au stade de l'évaluation des mesures à prendre pour la protection de ceux-ci, tous en bas âge.

L'atmosphère était tendue au plus haut niveau. Les deux parents se sentaient piégés et ils essayaient tant bien que mal d'apporter des explications sur la situation qu'ils avouaient eux-mêmes extrêmement difficile.

Pourtant – et je leur en ai fait la remarque –, les deux parents étaient assis côte à côte, paisibles, proches et complices pour une fois. Je leur ai souligné que c'était une première pour moi de les voir aussi amoureux. C'était une drôle de façon de commencer qui n'a pas plu à tous, mais pourquoi ne pas donner une touche un peu plus humaine à cette rencontre que l'on voulait tous constructive et centrée sur l'ensemble des besoins des enfants ?

Ils venaient pour un suivi du développement des enfants, mais il y avait évidemment de grands enjeux sous-tendant cette démarche. Je me suis donc informé de l'état de la situation sur le plan légal et, surtout, de l'état de compromission par rapport aux enfants.

Deux semaines plus tôt, la cour devait se réunir pour examiner la demande de la DPJ de placer les enfants pour la raison de «risque de négligence», selon l'intervenante. Mais le tribunal n'avait pas procédé et le juge avait reporté la cause de deux mois.

Ce cas était complexe. Il y avait des inquiétudes réelles depuis quelque temps concernant la capacité du couple à bien stimuler les enfants, malgré les différents services offerts par nos propres intervenants. Les parents avaient manqué plusieurs rendez-vous, et le voisinage semblait inquiet de la situation de la famille et de son impact sur les enfants, qui n'étaient pas en danger ni abusés, mais qui étaient négligés et parfois même laissés à eux-mêmes.

Le père avait fait de grands efforts pour mieux s'occuper de ses petits. Il ne consommait plus depuis un an. Il nous a révélé avoir «découvert» ses enfants et se disait inspiré par eux pour changer de vie. «Quel dommage que je n'aie pas découvert mes enfants plus tôt», a-t-il déploré.

La mère, victime de violence antérieurement, avait elle aussi perdu ses repères et sa capacité d'organisation auprès de ses enfants. Elle venait d'ailleurs d'accoucher d'un quatrième enfant et elle ne s'en remettait ni physiquement ni mentalement. Son état général et sa santé s'étaient clairement détériorés ces derniers temps. Elle a avoué se sentir dépassée et m'a confié qu'elle ne pouvait plus assumer ses tâches de mère pour le moment. Elle a affirmé avoir besoin d'aide pour elle-même. Un vrai appel à l'aide auquel je crois encore! Les enfants vivaient donc des turbulences qui affectaient grandement leur comportement et leur bien-être.

Leurs conditions de vie étaient précaires. Leur logement était froid et mal isolé. Des rats étaient aperçus dans la cuisine régulièrement. Le père avait dû réparer des trous pour éviter que ceux-ci circulent dans la maison. Les enfants avaient le rhume continuellement, les punaises s'en donnaient à cœur joie. Les parents espéraient obtenir une place dans un HLM, mais ils étaient loin sur la liste d'attente. Le manque d'argent et de ressources était flagrant.

J'ai rencontré les enfants un à un. Le premier, âgé de 6 ans, en première année, allait très bien. Il était vif et intelligent. Son bulletin, apporté par les parents, était très bon. L'enseignant était fier de lui. Le rapport des ateliers de stimulation du centre Assistance d'enfants en difficulté (AED) faisait aussi état de sa belle évolution et, surtout, de ses qualités. C'était un petit garçon serviable et attentif aux autres.

L'autre, âgé de 4 ans, en prématernelle, ne savait pas ses couleurs, selon l'intervenante présente à la rencontre. En effet, il m'a nommé les couleurs d'un dessin de façon complètement erronée. Je lui ai posé des questions simples et ses réponses étaient confuses. Il n'avait pas l'air de comprendre. La mère est intervenue pour me confirmer ses doutes sur la compréhension de son enfant.

Il semblait avoir un trouble de langage lié à la compréhension, mais les notes de l'école n'en faisaient pas mention. Il était animé et brillant, et il utilisait déjà plusieurs façons de cacher son handicap. À la fin de l'examen, je lui ai redemandé d'identifier les couleurs qu'il ne connaissait pas plus tôt et il a réussi à les nommer toutes, en me lançant un regard amusé.

La petite de 2 ans était curieuse, bougeait vite et manipulait tout ce qu'elle trouvait avec une belle habileté, tant les autos et les Lego que les gros casse-têtes. Elle parlait avec ses yeux et ses mimiques, mais peu avec des mots, si ce n'était un jargon quand même significatif. Elle me semblait bien épanouie malgré le retard de langage verbal.

Physiquement donc, les trois enfants nous paraissaient normaux. Globalement, leur développement était adéquat, sauf en ce qui concernait la compréhension de l'un des garçons et le langage de la petite. Ils ne semblaient pas inquiets ni carencés malgré une situation assez difficile.

Il y avait aussi un bébé de trois mois que je verrais le lendemain, car il était déjà placé, lui, chez la tante du côté maternel, en attendant les recommandations du tribunal. On s'inquiétait pour ses soins de base et son alimentation, c'est pourquoi dans son cas on avait procédé à un placement d'urgence.

L'équipe s'entendait sur une forme de négligence liée à l'état des lieux et des faits. La question était donc de savoir si on pouvait tenter une dernière fois d'agir pour éliminer les risques de négligence, de même que les conséquences sur le développement et la sécurité des enfants. La question était de savoir comment mieux respecter les enfants dans ce genre de situation.

Selon l'intervenante en protection de l'enfance, il y avait plusieurs choses à changer pour améliorer les conditions de vie des enfants et la contribution des parents aux soins globaux de leurs petits. Elle avait une grande inquiétude. Elle s'est adressée à moi brièvement, mais ne croisait jamais le regard des parents, se contentant de prendre des notes.

Les parents avaient peu de moyens et un réseau limité, en plus d'être épuisés et malades, en pleine situation de survie. Pourtant, ils affirmaient qu'ils aimaient leurs enfants, qu'ils étaient capables de s'occuper d'eux avec de l'aide et qu'ils avaient déjà amorcé des changements. Pour ce qui était du nouveau bébé, le fait qu'il ait été placé chez une tante en mesure d'urgence compte tenu de l'état de santé de la maman créait chez cette dernière une souffrance supplémentaire.

Cette famille avait clairement besoin de soutien intensif. La question pour moi était de savoir comment et jusqu'où.

À ce stade-ci, la catastrophe appréhendée tenait encore. La DPJ maintenait sa position de placer les enfants dans des familles et des milieux différents. Les petits seraient séparés de leurs parents et de leur fratrie, et perdraient ainsi la solidarité importante qui leur avait permis à ce jour de passer au travers sans trop de mal, même si la situation n'était absolument pas tolérable.

Notre questionnement ne concernait pas l'obligation d'agir, mais plutôt la façon de faire et de respecter les droits ainsi que les besoins globaux des enfants, dont le lien parent-enfant de même que les repères filiaux et familiaux dans un contexte de grande misère sociale. Cette importante question éthique et humanitaire devait être constamment au centre de nos préoccupations et de nos actions dans un monde imparfait.

Il y avait beaucoup à faire : changer de logement, assurer une sécurité alimentaire, faire soigner la mère, accompagner le père, continuer la thérapie, stimuler les enfants. Il fallait tout remettre en piste pour vrai, ce qui risquait de prendre du temps et d'intenses efforts de notre part. Les enjeux étaient grands, mais si on y arrivait, les bénéfices sur le plan humain seraient immenses.

Au point de vue de la pédiatrie sociale de même que celui des ressources institutionnelles, il est aussi question du type de soutien à apporter aux parents. Ils sont nombreux à se retrouver dans ce genre de situation en milieu défavorisé. Ces familles nous font confiance et notre mission consiste à les soutenir du mieux possible pour provoquer des changements profonds selon un modèle plus communautaire. Les institutions, elles, appliquent des lois et des règles de façon plus objective, et le lien de confiance est souvent absent. Nous avons pourtant le même souci de minimiser les risques pour les enfants et d'assurer leur réussite.

Nous voyons souvent des familles qui tentent d'améliorer leur situation après avoir vécu une mauvaise passe. Il y a alors un chaos qui nuit clairement aux enfants. Souvent, l'arrivée de la DPJ et des mesures de protection sérieuses incitent les parents à modifier leurs conditions de vie. Encore faut-il les appuyer dans ce changement et leur fournir les moyens de le réaliser. C'est pour nous le sens d'un vrai plan équitable pour la protection à long terme.

En dernier recours, si rien ne change ou si les modifications sont purement superficielles, il sera temps d'agir en plaçant les enfants temporairement et en créant d'autres actions de soutien pour y mettre un terme le plus tôt possible. Dans le cas de cette famille citée en exemple, à la fin de la rencontre, j'ai suggéré d'appuyer les parents encore une fois et plus intensément, tous ensemble.

Le lendemain, j'ai rencontré la mère et son bébé. Le père était lui aussi présent. Le bébé était en parfaite santé et la maman le tenait dans ses bras, près de la tante chargée de la garde temporaire. J'ai senti un lien étroit, intense et réel. La maman avait maintenant un éclat qui ne trompait pas. Elle était en manque de son bébé. Ce dernier était en sécurité pour le moment, mais elle tenait à le voir plus souvent, le temps de se guérir. Le poupon était dans un excellent état dans la famille élargie et la tante a consenti à s'en occuper le temps qu'il faudrait.

Les parents étaient d'accord pour se séparer temporairement des autres enfants afin de mieux se remettre en piste, mais ils voulaient garder un contact étroit avec eux. Il faudrait donc faire l'impossible et y croire, encore une fois.

La réticence de l'intervenante était forte. Son opinion était faite. Elle exigerait le placement de longue durée au tribunal deux semaines plus tard. Puis, devant les parents déjà atterrés par cette nouvelle, elle a ajouté qu'elle était désolée que le juge ait remis la cause. Le lien de confiance était rompu.

Dans ce cas, et dans plusieurs autres, une évaluation des faits plus actualisée et une position mobilisante vont de pair. Nous souhaitons préserver le plus possible l'intégrité des familles et croire à leur changement si notre capacité d'accompagnement est à la hauteur. Nous préférons nous fier à des indices clairs et à des intuitions pour arriver à ce but.

Pour le bien de cette famille, nous n'étions pas contre un placement temporaire, qui nous semblait à nous aussi indiqué à ce stade-ci. Je l'ai moi-même suggéré aux parents, mais en gardant l'espoir de les aider à changer en les accompagnant.

Un placement de courte durée a finalement été ordonné par le juge, qui a proposé un lieu où les enfants pouvaient se côtoyer et qui donnait aux parents une nouvelle chance de faire les changements requis.

L'exemple précédent illustre assez clairement que plusieurs idées peuvent s'opposer quand on s'occupe du bien-être des enfants. Les positions varient selon notre vision des choses et notre expertise, mais aussi selon les règles de l'établissement pour lequel on travaille.

Les opinions peuvent également aller d'un extrême à l'autre si on y ajoute nos convictions et notre propre vécu. Comment donc s'y retrouver? Comment s'assurer que notre position est la meilleure pour l'enfant, au-delà des normes, des croyances et des habitudes?

C'est un moment-clé de notre démarche. La validation par l'enfant lui-même ainsi que par ses messages verbaux et non verbaux, de même que celles des parents en confiance, du milieu et de l'entourage restent pour nous une étape essentielle, la plus sûre et la plus objective pour respecter l'enfant. Le respect demeure le plus grand déterminant de nos actions dans le domaine.

L'ÉTAPE SYNTHÈSE ET L'ANALYSE

À l'étape où l'on s'assure que nos hypothèses sont bonnes, encore une fois, qui de mieux pour nous guider que l'enfant lui-même et ses parents ? Comme accompagnants ou intervenants, nous avons bien sûr des connaissances, des expériences parfois limitées, et certainement beaucoup d'émotivité et de subjectivité en nous, qu'on se l'avoue ou non.

Face à l'humain et à l'humanité, notre vision des faits est propre à nous-mêmes. Notre tendance égocentrique est difficile à mettre de côté. Pourtant, il le faut pour réaliser une bonne analyse. S'élever au-dessus de notre propre personne, voilà un exercice fort utile en la matière. On peut tenter de valider nos impressions auprès de

> **Comme pour l'iceberg, on ne voit qu'une infime partie de la réalité : le reste est enfoui et ne se dévoilera qu'avec la confiance et la motivation.**

supérieurs ou de mentors pour conforter celles-ci, mais on cherchera naturellement, avant tout, à se donner raison. L'objectivité est impossible dans le contexte particulier des comportements et des travers humains.

Je suis convaincu que nos hypothèses et nos décisions, aussi sérieuses et expertes soient-elles, ne tiennent que si elles ont un sens pour les personnes qui sont en cause. Elles ne doivent pas être imposées, mais discutées, approfondies et validées par les principaux intéressés, jamais en vase clos, car le risque de parti pris et de dérapage est grand. Quand il est question d'enjeux aussi délicats, il est facile de se tromper en tentant d'aller trop vite.

Comme pour l'iceberg, on ne voit qu'une infime partie de la réalité : le reste est enfoui et ne se dévoilera qu'avec la confiance et la motivation.

C'est une des grandes forces d'une approche intégrée, où l'équipe tient les rênes et compose ensemble des scénarios qui ont du sens ainsi qu'une valeur ajoutée. L'enfant et ses proches en sont les acteurs principaux et, jusqu'à un certain point, les contrôleurs et les décideurs.

Sans une approche de ce type, comment peut-on arriver à des actions significatives et mobilisantes qui feront une différence dans la vie des enfants en difficulté ? On ne pourrait alors qu'imposer des solutions dont le succès serait relatif et à court terme, mais qui, surtout, auraient peu de chances de changer les choses plus profondément pour le mieux de l'enfant.

Les intervenants et les équipes sont là pour partager des connaissances en pédiatrie sociale, entre eux de même qu'avec les enfants et les parents. Plus nous sommes nombreux et plus nos spécialités sont diverses, meilleurs sont nos conseils et nos accompagnements. On peut guider, trouver des pistes de solution, faire des propositions, mais le vrai travail, c'est la validation et, ensuite, l'adhésion à un plan d'action accepté par tous.

GENEVIÈVE

On a vu Geneviève en urgence à la demande de sa tante, qui en avait la garde depuis plusieurs années. Certains de ses frères et sœurs avaient aussi été placés après de graves difficultés de la mère. La vie antérieure de Geneviève et de sa famille n'avait pas été facile, mais comme elle était la plus jeune, elle n'avait pas subi trop de dommages puisqu'elle jouissait d'une certaine protection de la part des plus vieux. Cette petite fille d'à peine 6 ans avait donc été relativement préservée et s'était présentée à nous magnifique et éclatante.

Pourtant, depuis un mois, il y avait eu des changements et elle n'était plus la même. Elle s'opposait et ne voulait plus faire sa toilette ni prendre son bain. À la maison, elle était devenue irritable et désagréable, elle pleurait pour rien et faisait des crises importantes à la moindre occasion.

À l'école, elle ne suivait plus et on peinait à l'intéresser aux tâches d'apprentissage. Elle, qui était si sociable, se tenait maintenant à l'écart et refusait de participer aux jeux. Elle n'avait plus le même éclat qu'auparavant. Tout le monde était donc inquiet et essayait de comprendre ce qui pouvait bien se passer dans sa vie pour justifier un tel revirement de situation.

L'entourage, surtout, réagissait et se questionnait. On ne trouvait pas d'explication à ce changement au sein de la famille. On a donc décidé de nous la faire voir pour pouvoir mobiliser des forces vives auprès de l'enfant.

On se connaissait bien, elle et moi, car on se voyait souvent dans les activités auxquelles elle participait dans nos ateliers. Elle servait même souvent de modèle auprès d'enfants moins avancés qu'elle sur le plan du développement. En temps normal, elle était toujours agréable et disposée à se prêter à notre jeu.

Ce jour-là, par contre, elle ne répondait pas quand je lui posais des questions ou que je la complimentais. Elle était totalement différente, terne, et elle réagissait de façon inhabituelle. Lorsque je l'ai invitée à faire un dessin, elle a refusé, ce qui n'était vraiment pas dans ses habitudes, puisque cela faisait un peu partie de notre rituel de rencontre. Quand je lui ai demandé de me dessiner, moi, elle a ri enfin, en me disant non. Elle s'est pourtant mise à la tâche pour produire son œuvre en cachant son papier de ma vue.

Au cours de la rencontre, elle écoutait tout ce qui se disait, de loin, en affichant parfois un sourire, mais surtout un sérieux que je ne lui connaissais pas. Depuis un mois, en plus d'un changement d'humeur, elle avait un problème de masturbation qui dérangeait tout le monde. On ne comprenait pas ce qui se passait. Pour la famille, c'était la principale raison de la consultation. Elle se frottait sur les meubles et se touchait continuellement en disant que ça piquait. Elle faisait ces gestes tant à la maison qu'à l'école, sans gêne et de façon quasi systématique, comme pour provoquer, et ça fonctionnait. À l'histoire, rien à signaler : il n'y avait aucun signe objectif pouvant nous mettre sur une piste médicale. Pas de doute d'une infection urinaire, d'un problème de selles ni de blessure ni d'abus sexuel.

Lorsque j'ai demandé à la tante à quand remontait ce changement, et surtout ce qui pouvait l'avoir déclenché, l'enfant nous a fixés, comme si elle était fâchée et impatiente.

Quand je l'ai invitée à faire l'examen, ce qui était toujours facile avec elle en temps normal, elle a refusé. Elle s'est fermée pendant plusieurs minutes, s'est mise à bouder et a fini par accepter, mais elle m'a signifié clairement : « Pas en bas. » Autrement dit : « N'examine pas mes organes génitaux. »

Quand j'ai voulu examiner son abdomen, elle a paniqué et a remonté ses collants jusqu'à mi-ventre. J'étais incapable de poursuivre l'examen. J'ai décidé de ne pas aller plus loin pour le moment. On a continué à parler, elle s'est détendue et m'a fait un magnifique dessin avec un gros « Je t'aime ».

Le soir, à la maison, elle a fait ses selles dans sa culotte pour la première fois de sa vie et en a mis partout. Après la réprimande de sa tante, elle a dit : « N'en parle pas au Dr Julien, s'il te plaît. »

Le père, que je connaissais peu, était présent dans la vie de l'enfant. Comme il habitait à l'extérieur et qu'il ne venait à peu près jamais aux rendez-vous, j'en savais peu sur lui, mais je savais que Geneviève l'adorait. J'ai appris que, depuis quelques mois, il avait recommencé à avoir des contacts avec ses enfants. Il les voyait ensemble toutes les deux semaines, de façon régulière et assidue.

Pendant plusieurs années, il avait eu son lot de difficultés et ne s'était présenté qu'occasionnellement aux visites de ses enfants, se montrant peu intéressé à eux. Sa vie aurait changé depuis : il vivait avec une nouvelle conjointe, il avait un bon travail et même une maison à lui en banlieue.

J'ai appris aussi par la tante que, lors des dernières visites, le papa aurait annoncé aux enfants qu'il les reprendrait tous bientôt, qu'il leur ferait une place dans sa maison et que chacun aurait sa chambre. Cela ne saurait tarder, le changement étant prévu pour dans un mois, à la fin des classes.

Une grande réunification avait donc été prévue par le père, sans préparation, avec en *background* quelques années d'abandon, de promesses non remplies et de désintérêt. Surprise pour tous : on efface et on recommence !

Pendant toute cette période, les enfants avaient, eux, composé à leur façon en fonction de ce décalage avec le papa et la maman, sans les juger, mais faisant chacun leur propre deuil de la vie familiale. Ils n'avaient heureusement pas été séparés grâce à l'implication généreuse de leur tante, devenue une figure parentale.

Des liens forts avaient donc été tissés entre les enfants et leur milieu d'accueil, et je soupçonnais déjà des brisures d'attachement et de lourds conflits de fidélité de part et d'autre.

Nous étions très inquiets du revirement de la situation. Pour nous, l'idée d'une vraie reprise de contact, et même de garde par le père, était bonne en soi, puisque nous connaissions le lien qui persistait entre Geneviève et son père. Elle disait souvent qu'elle avait un beau papa et qu'un jour il la reprendrait. Elle avait aussi un lien très étroit avec sa tante et ce dernier, à son âge, devait aussi être préservé d'une façon ou d'une autre.

J'ai demandé à rencontrer le père rapidement et il m'a fait part de sa détermination à reprendre ses enfants, me disant qu'il avait perdu assez de temps loin d'eux. Déjà, ses garçons étaient de retour et ils en étaient fiers. Ce serait au tour des filles, maintenant.

J'ai tenté de négocier du temps et une préparation, en suggérant de maintenir la relation avec la tante, et de reconstruire progressivement des liens plus étroits entre lui et sa fille. Il a accepté qu'on accompagne Geneviève, il m'a assuré qu'il viendrait la reconduire à nos activités tous les jours s'il le fallait, mais il a déclaré qu'il allait tout de même mettre son plan à exécution.

Quelle était la meilleure solution? Seule l'enfant pouvait nous aider à y voir clair, malgré la situation paradoxale dans laquelle elle se trouvait et le déchirement qu'elle devait vivre. Elle devait choisir entre son papa qu'elle adorait ou une maman de remplacement à qui elle était attachée grandement. Quel conflit... pourquoi pas les deux?

La tante avait déjà signifié que, si elle la perdait, elle cesserait de la voir; le père n'aurait qu'à s'en occuper. Lui acceptait que sa fille et la tante restent en contact. Il reconnaissait tout ce que cette dernière avait apporté à Geneviève et lui en était reconnaissant. «Mais c'est ma fille et je la veux avec moi», a-t-il dit.

Nous avons fait une vérification auprès de l'intervenante du centre jeunesse, qui n'avait aucune objection au retour chez le père. Elle a indiqué que son évaluation était bonne et qu'il ne restait aucune trace des difficultés passées.

Nous devions valider toute cette histoire et ses enjeux auprès de l'enfant, puisque les opinions des adultes ne faisaient pas le poids. Elle seule devait guider l'évolution de sa vie, même si jeune.

Au-delà de son bouleversement compréhensible, de ses questionnements justifiés et des ambiguïtés qu'elle vivait, c'était elle qui aurait le dernier mot. J'ai profité d'une fête dans la ruelle, alors qu'elle était dans de bonnes conditions, pour aborder le sujet avec elle, en catimini.

«Je t'ai promis de t'aider à être bien depuis que je te connais. On est des amis maintenant, même si je suis aussi ton pédiatre.» Elle m'écoutait sérieusement et a approuvé en me faisant l'accolade.

«Je sais que tu aimes ton papa et ta tante, et que tu veux les garder tous les deux. Je suis d'accord avec cela. Mais où veux-tu vivre maintenant ? C'est à toi de choisir.»

Sans hésiter, en me regardant droit dans les yeux, elle a affirmé vouloir vivre avec son papa et qu'elle y pensait depuis longtemps. Elle avait hâte de partir chez lui. C'était clair, alors c'était la démarche que nous allions appuyer totalement.

J'en ai fait part au père, qui a accepté que l'on continue d'accompagner sa fille en art-thérapie et pour des activités diverses pendant un certain temps, puisqu'on était aussi un milieu de vie pour elle. Il m'a rassuré en m'informant que, finalement, la tante accepterait de voir Geneviève de temps en temps.

La fin de semaine suivante, elle était chez son père avec ses frères et sœurs. Une vraie lune de miel a commencé et... se poursuit.

Quelques semaines plus tard, encore dans la ruelle, je l'ai vue courir vers moi en compagnie du papa et de sa tante, tous fiers de la suite des choses. Elle était radieuse et ses problèmes semblaient s'être envolés.

Il peut sembler étonnant d'agir de la sorte avec une jeune enfant et, pourtant, je l'ai fait souvent dans ma pratique, avec succès.

L'enfant, peu importe son âge, a des droits et l'un des plus fondamentaux, c'est d'avoir le contrôle de sa vie. Quand il est plus jeune, ses parents jouent un rôle majeur pour s'assurer de son bien-être et peuvent décider pour lui, le cas échéant. Toutefois, l'enfant garde toujours son droit de parole et celui d'être entendu, même par personne interposée, si nécessaire.

> L'enfant, peu importe son âge, a des droits et l'un des plus fondamentaux, c'est d'avoir le contrôle de sa vie. Quand il est plus jeune, ses parents jouent un rôle majeur pour s'assurer de son bien-être et peuvent décider pour lui, le cas échéant. Toutefois, l'enfant garde toujours son droit de parole et celui d'être entendu, même par personne interposée, si nécessaire.

Plusieurs pensent encore que l'enfant ne comprend pas les choses d'adultes et qu'il ne peut prendre de décisions pour son bien. Je pense au contraire que l'enfant est une personne à part entière qui, très jeune, peut exprimer des opinions et des désirs relativement clairs, pour autant qu'on sache décoder ses questionnements et ses besoins globaux.

Dans le cas de Geneviève, âgée de 6 ans, ses intentions étaient évidentes et elle y réfléchissait depuis longtemps. Les enfants en difficulté et en situation de précarité se font rapidement une idée de ce qui est bon ou pas pour eux. Certains ont peu de connaissances, mais ils ont de vastes expériences de vie, du flair et de l'intuition. S'ils ne ressentent pas de contraintes, ils vont affirmer leur opinion clairement s'ils en ont la chance.

Cette chance doit donc être accessible en tout temps. Les actions posées n'en seront que plus conséquentes et plus authentiques, pour le bien-être de chacun.

CHAPITRE 13

DÉCODER LES BÉBÉS

Les bébés, qui sont aussi des personnes à part entière, doivent-ils être écoutés pour mieux cerner leurs besoins ? On dira qu'ils sont trop petits, qu'ils ne parlent pas, qu'ils ne sont pas matures et qu'ils sont totalement dépendants. Je crois pourtant qu'ils ont leur propre langage dès la naissance et que le droit de parole, entre autres, s'applique aussi à eux intégralement. On doit donc les écouter et tenter de les décoder dans l'expression de leurs besoins.

J'ai déjà écrit que, pour chaque enfant, on peut trouver une voie pour faire jaillir la lumière et sonder le fond de sa personne. Pour le bébé et le jeune enfant, qui ne peuvent communiquer par les mots, il nous faut explorer toutes les autres voies de communication, des plus simples aux plus complexes. L'enjeu consiste à bien les reconnaître, à les observer attentivement et à les interpréter avec un souci d'analyse critique, ce qui nous permet de mieux saisir les besoins exprimés.

Le caractère et les comportements de chaque enfant se déploient dès la naissance. Les pleurs et les cris sont des exemples de modes de communication spontanés qui en disent long sur l'enfant. Certains de ses cris ou de ses mouvements transmettent des informations sur sa façon de réagir à la frustration, notamment s'il a trop chaud ou trop froid, s'il désire boire ou si sa couche est souillée. D'autres réactions sont plus persistantes ou plus intenses, comme l'agitation causée par l'inconfort, les pleurs incessants et le refus de s'alimenter, ce qui nous met sur la piste d'émotions plus négatives qui peuvent influencer le développement et le bien-être.

Un bébé ou un jeune enfant exposé à une maman angoissée ou à un conjoint violent de façon répétitive et fréquente réagira intensément. Ses pleurs occasionnels deviendront continus et dérangeants. Il sera agité et protestera à sa manière en cessant de boire ou en régressant dans ses acquis. Sa santé et son développement seront alors à risque. Le message sera clair et il sera impératif de le reconnaître le plus tôt possible pour mieux agir.

Le bébé pleure donc pour s'exprimer. Il pleure pour manifester ses désirs d'attention et de contact, pour signifier un inconfort, pour obtenir le sein ou de la nourriture. Les besoins de base de l'enfant se manifestent souvent par des pleurs fréquents et variables.

Les yeux en disent long eux aussi.

Les yeux d'un enfant sont un peu le miroir de son bien-être, mais aussi de son mal-être. On y voit les joies et les peines, les blessures et les colères, les rêves et les espoirs. Ils sont toujours d'une beauté éclatante, seules certaines ombres en ternissent parfois la surface. Le fond des yeux de l'enfant, lui, garde toujours la splendeur de l'âme pure.

En surface, on peut aussi voir le malaise, l'anxiété ou la souffrance. Parfois, un seul regard suffira à nous interpeller et à nous mettre sur une piste. Il ne faut pas le manquer ni, surtout, l'ignorer, car on pourrait passer à côté de l'essentiel.

Tout parle chez l'enfant: le mieux, c'est de l'entendre lorsqu'il est dans un état d'ouverture et d'accueil.

CHAPITRE 14

AGIR EN TOUTE CONNAISSANCE DE CAUSE POUR LES ENFANTS

En médecine, et surtout en médecine sociale, il est difficile d'agir seul sous peine d'en manquer un grand bout et de risquer de commettre des erreurs irréparables. On ne peut pas non plus prétendre guérir, mais on pourrait certes prévenir plus souvent. Par ailleurs, il est possible, ensemble, de soulager et de soigner assez bien et, surtout, on a la capacité de susciter et de faire émerger les pouvoirs des enfants et des familles. Cela est probablement notre plus grande contribution au respect et à la santé des enfants.

Dans ma clinique, je venais de rencontrer un jeune de 12 ans pour la première fois. Il nous avait été envoyé par une équipe d'un autre quartier pour le suivi d'un TDAH. Il venait de déménager dans notre quartier avec sa famille. Sa mère l'accompagnait.

D'entrée de jeu, ce fut un contact difficile. La maman d'origine haïtienne parlait très peu et ne répondait pas vraiment aux questions de base. Elle semblait lointaine et à bout. Elle ne regardait jamais son enfant et ne montrait aucune marque d'intérêt à notre rencontre.

Le jeune, lui, paraissait sur ses gardes et distant aussi. Il n'était pas intimidé ni timide, mais il avait l'air de se demander ce qu'il faisait ici. On semblait dans un cul-de-sac et on arrivait au bout de nos moyens.

Je me suis approché de la maman et lui ai demandé ce qu'on pouvait faire de son enfant, qui la décevait et l'irritait au plus haut point. Je lui ai demandé aussi si elle avait honte de lui et elle m'a fait signe que oui. Puis, je l'ai remerciée de sa franchise. Cela nous a permis d'avancer vers une solution pour dénouer cette crise.

Ce jeune penchait plus vers la délinquance que vers la construction d'une vie saine, mais il m'a affirmé avoir l'ambition de devenir un joueur de hockey professionnel. Il s'est ouvert encore plus et m'a confié qu'il n'était pas très fier de sa vie. Étonnamment, il m'a dit vouloir de l'aide pour changer et se remettre en piste. La maman, qui écoutait cette drôle de conversation, a même amorcé un petit sourire.

Comme la rencontre se tenait dans notre Garage à musique, il m'a questionné ensuite sur la présence d'adolescents de son âge accompagnant des plus jeunes dans notre camp de jour et il a voulu en savoir plus sur toutes ces salles de musique.

Il s'agissait d'un programme de mentorat destiné aux jeunes comme lui qui, après avoir remonté la pente, viennent soutenir d'autres enfants avec nous comme travail d'été. Il s'est montré fortement intéressé par ce projet, m'a dit qu'il avait lui-même une guitare et qu'il voulait s'inscrire à notre programme. Un pacte était scellé. Il est resté encore quelques heures à observer ce qui se passait dans ce lieu magique. Il m'a aussi fait la promesse de recommencer à prendre sa médication dès le lendemain!

Agir en toute connaissance de cause exige des explications et une attention particulière. Dans notre champ d'action, ce concept prend toute son importance et nous permet de nous distinguer de ce qui se fait ailleurs, que ce soit dans le secteur institutionnel ou dans le secteur communautaire habituel. Cette affirmation est faite en toute modestie et sans dénigrer les autres façons de faire, puisque nos actions complémentaires avec ces autres partenaires sont encore plus puissantes.

Ce paradigme de soins se base sur des expériences, de la science et des compétences pointues, de même que sur l'intuition, le bon sens, la coconstruction et la multidisciplinarité. Les soins, leur qualité, leur intensité et leur déploiement se discutent en constante interaction avec l'enfant, sa famille et son milieu. Pas question d'exclure encore plus ceux qui sont déjà exclus.

Agir en toute connaissance de cause, c'est aussi ne rien laisser au hasard. Connaître le fond des choses, les histoires personnelles et transgénérationnelles, les milieux de vie, les motivations, les blessures, les traumatismes, les stress et le quotidien des gens nous permet de mieux comprendre et d'agir en profondeur. D'où l'approche particulière de la pédiatrie sociale en communauté, qui fait du lien avec les enfants et les parents un si grand enjeu pour mieux les aider.

Agir en toute connaissance de cause, c'est aussi ne rien laisser au hasard. Connaître le fond des choses, les histoires personnelles et transgénérationnelles, les milieux de vie, les motivations, les blessures, les traumatismes, les stress et le quotidien des gens nous permet de mieux comprendre et d'agir en profondeur. D'où l'approche particulière de la pédiatrie sociale en communauté, qui fait du lien avec les enfants et les parents un si grand enjeu pour mieux les aider.

L'approche, on l'a vu précédemment, procède de l'implication des parents, de la famille élargie et du milieu ainsi que de la motivation des enfants. D'où la nécessité d'apprivoiser et d'ouvrir des pistes, mais aussi de ne jamais mettre en action ce qui ne reçoit pas l'approbation des parents et de l'enfant lui-même, sauf en situation exceptionnelle.

Nous croyons fermement au respect de l'enfant et c'est notre meilleure façon de l'exprimer. Une partie importante de notre mission concerne aussi la nécessité de définir notre action de manière transsystémique, de sorte que les intervenants de tous les systèmes partagent notre façon de faire et notre souci commun du bien-être de l'enfant.

Toute cette démarche assez complexe permet d'arriver à une action porteuse et utile à chaque enfant, un à la fois, pourvu que nous possédions les outils pour agir à tous les niveaux nécessaires et que chacun puisse jouer un rôle à sa mesure. Le « un à la fois » est important, puisque chaque enfant est différent et chaque contexte varie. Il n'y a pas de constantes quand il s'agit d'un jeune souffrant, car la souffrance se construit de façon unique et s'additionne aux autres, d'où l'importance de bien la décoder.

Pour le parent ou le proche, entamer un tel processus afin de mieux aider l'enfant contribue à développer non seulement la confiance, mais le désir de s'impliquer et de faire bouger les choses. Aucun parent ne souhaite des problèmes à son enfant et ce dernier peut lui-même servir de déclencheur pour passer à l'action. Voilà donc une formule gagnante à tout point de vue.

Pour l'intervenant, il s'agit d'une chance inouïe de partager ses craintes et ses outils avec d'autres intervenants d'expériences et de secteurs différents. L'idée de le faire en accord avec les principaux intéressés, soit l'enfant et sa famille, permet de définir un plan d'action autour d'un modèle consensuel inédit.

Il existe plusieurs chemins pour arriver à faire une bonne évaluation des besoins des enfants sur tous les plans (physique, émotif, social, légal et spirituel). Un questionnaire, des tests de développement et d'aptitudes, des examens biologiques et technologiques ainsi que des évaluations fonctionnelles diverses sont autant de moyens qui permettent de découvrir des facettes d'un problème, et ils ont une utilité certaine.

Cependant, quand on veut aller plus en profondeur, pour trouver les interactions significatives de même qu'observer le jeu des émotions sur les attitudes et les comportements, il faut que tous valident les pistes d'action et respectent leurs engagements pour réussir.

Notre méthode, basée sur le rapprochement, l'observation active et l'échange, permet d'agir de façon complète, efficace et durable.

Nous possédons maintenant toute l'information nécessaire pour passer à l'action. Il faut trouver par où commencer et se répartir les tâches. Pour tenter d'y voir plus clair, parlons un peu de Caroline.

CAROLINE

Caroline, dès sa naissance, souffrait de problèmes médicaux complexes qui ont nécessité plus de vingt-cinq hospitalisations et une vingtaine de chirurgies, qui lui ont certainement sauvé la vie et qui lui ont permis de recouvrer une santé relativement bonne. Elle avait maintenant 8 ans.

Elle était encore suivie par plusieurs spécialistes dans un hôpital superspécialisé. En plus des traitements qu'elle avait reçus presque à plein temps pendant les trois ou quatre premières années de sa vie, elle avait eu droit à plusieurs soins de réadaptation pour le langage, la motricité, la coordination, l'équilibre et la force musculaire jusqu'à l'âge de 5 ans où, malgré les promesses de tous, on a dû appliquer la règle de la fin de services lors de l'entrée à l'école. Ainsi, malgré l'acharnement des parents et, surtout, en dépit de l'importance de ses besoins, elle a été laissée à elle-même et à sa famille.

Elle avait pourtant encore de la difficulté à parler, à s'alimenter, à gérer son corps dans l'espace ainsi que des problèmes de coordination, de calligraphie et d'équilibre. Elle n'avait plus droit aux services de réadaptation en raison de son âge, même en milieu pédiatrique.

Sa plus grande frustration, quand je l'ai vue la première fois, c'était de ne pas pouvoir faire du vélo à deux roues.

On avait donc traité la maladie physique de façon exceptionnelle jusqu'à ce qu'on cesse les soins subitement sans raison valable, la laissant dans l'ignorance à propos de plein de sujets. Comme s'il s'agissait d'un travail non achevé.

Ses parents me l'avaient amenée parce que personne n'avait encore pensé à se concentrer sur cette petite qui souffrait en silence à cause de l'intensité des soins, des douleurs et des séparations qu'elle avait endurés au cours de sa courte vie. Et maintenant, elle souffrait également des railleries des enfants et des adultes qui la croisaient ainsi que de son impuissance dans certains secteurs de son développement.

J'ai été impressionné par cette petite fille affirmée et tout en contrôle. Elle m'a tutoyé d'emblée en me toisant d'un regard grave et résigné. «Encore un autre médecin, lui ai-je dit. Tu dois certainement en connaître plusieurs.» Elle a continué à jouer, me jetant des regards obliques quand je parlais aux parents. Quand je l'inter-pellais, elle me répondait parfois, mais pas toujours. Elle restait sérieuse et méfiante.

Elle avait choisi un petit ourson dans la caisse de jouets et elle le tenait collé contre elle comme si c'était le sien. Je me suis approché d'elle, puis je lui ai demandé s'il lui appartenait et quel était son nom. Elle m'a dévisagé et a fini par me dire qu'il n'était pas à elle, mais m'a demandé si je la laisserais l'emporter chez elle. Dès qu'elle a reçu la confirmation que je le lui offrais en cadeau de première visite, elle a changé complètement.

Caroline m'a permis de l'examiner, mais juste avant, lorgnant une photo d'Einstein qui trône dans mon bureau depuis des lustres, elle m'a dit : «Hey, le vieux! Est-ce toi sur la photo?»

En m'aidant à faire l'examen, elle avait meilleure humeur et s'amusait ferme. En ouvrant un tiroir de la commode, elle a vu un journal intime avec cade-nas dans son emballage. «Est-ce à toi?» m'a-t-elle demandé. Je lui ai répondu : «Non, c'est à toi.»

Ses yeux se sont illuminés et son émotion est deve-nue forte, puis Caroline s'est assombrie : «Mais je n'ai pas de secrets à écrire.» Je lui ai déclaré que j'étais certain qu'elle en avait plusieurs et qu'elle n'aurait pro-bablement pas assez d'espace pour tous les écrire. Elle a finalement avoué qu'elle en avait beaucoup.

La fillette a été encore plus intéressée quand je lui ai offert de faire de la musique dans notre Garage. Elle avait toujours voulu jouer d'un instrument et elle était enchantée. «On y va maintenant», a-t-elle annoncé.

Elle était en état de pur bonheur quand je lui ai demandé de m'accompagner à une course afin de collecter des fonds pour notre Fondation. Elle serait ma partenaire principale.

Caroline avait vécu beaucoup de souffrances physiques dans sa courte vie. Je pense qu'elle avait surtout vécu un enfer d'émotions troubles à cause de séparations, de deuils et d'inconnus affectifs. Mais personne n'en avait parlé avec elle pour tenter de lui venir en aide.

Ses principaux problèmes se rapportaient à son comportement, à sa réussite scolaire, à son impulsivité et à son arrogance. Elle avait développé, au cours de toutes ces années, des blocages dans différents domaines, particulièrement ceux de l'alimentation et du sommeil, et cela lui pourrissait la vie. Les médecins n'avaient pas trouvé de causes médicales, mais ils n'avaient pas cherché non plus d'explications psycho-émotives à tous ces troubles.

Forte comme pas une, résiliente au possible, elle m'impressionnait et nous sommes tout de suite devenus amis!

Notre équipe a commencé à s'occuper d'elle dès cette première rencontre. Elle est partie en serrant son toutou et son cahier précieusement. «Tu viens avec nous», a-t-elle dit à son nouveau compagnon.

Elle a continué de venir au Garage et elle a repris peu à peu confiance en elle. Ses parents étaient constamment à son écoute. Je l'ai revue récemment: elle était sûre d'elle et en bien meilleur état.

On avait escamoté toute sa personne pour soigner ses problèmes physiques d'une grande complexité. On avait oublié la substance de cette enfant qui ne demandait qu'à s'exprimer, à obtenir des explications et à être aimée pour ce qu'elle était, une personne à part entière avec des défis à sa mesure et des attentes de haut niveau.

Pour Caroline, on avait eu besoin d'actions immédiates, approuvées par elle et touchant tout ce qui n'avait pas été abordé pendant ses multiples hospitalisations et interventions. Il ne fallait surtout pas s'apitoyer sur elle, car elle en aurait été outragée. Il fallait reconnaître ses forces et son courage, et l'amener vers des défis à réaliser. Elle n'en était pas à son premier combat, et il s'agissait maintenant de reconstruire sa confiance et sa personne de même que d'éliminer ses peurs en soutenant ses propres forces.

Mélina, dont l'histoire suit, vivait, elle, une inquiétude constante. Elle avait dû affronter tant de barrières qu'on se devait de l'encourager et de miser sur elle pour réaliser son bien-être.

Pour Caroline et Mélina, l'une traumatisée par des maladies débilitantes, l'autre par la guerre, il a suffi d'une même approche, soit de prendre en considération l'humain, les émotions et le manque d'espoir pour reconstruire leur pouvoir à partir de leurs talents propres.

La médecine doit garder en tête les deux facettes de l'être humain, l'une physique, l'autre émotive et spirituelle, car une vraie guérison ne peut se faire que par des soins complémentaires entre les deux, le mental l'emportant souvent d'ailleurs sur le physique.

MÉLINA

Mélina avait 10 ans. Elle nous avait été référée par l'école pour des difficultés d'apprentissage. En 2013, à 9 ans, elle avait été transférée dans une classe d'élèves ayant des troubles d'apprentissage, car elle était encore de niveau première année. Elle avait donc un gros retard scolaire, qui de toute évidence était attribuable à des circonstances traumatiques n'ayant pas permis qu'elle fréquente l'école dans son pays d'origine.

Malgré la classe adaptée à ses besoins, elle avait développé des problèmes de comportement sous forme d'opposition passive, en plus de compter plusieurs absences scolaires. On a noté qu'elle apportait à l'école des objets rassurants provenant de sa maison, comme des toutous ou des cahiers de bord personnels.

La mère a rapporté aussi des comportements opposants à la maison, des difficultés de sommeil et des propos sombres et même suicidaires depuis quelques jours. Par ailleurs, Mélina se montrait serviable, apprenait le français rapidement et s'occupait de sa petite sœur comme une maman.

Il faut savoir que sa famille avait migré en 2011, alors que Mélina avait 7 ans. Elle avait suivi le processus habituel en fréquentant une classe d'accueil. Les membres de la famille faisaient maintenant face à une menace de déportation, car ils avaient le statut de réfugiés. Le père travaillait au noir, mais les moyens manquaient.

En 2012, un événement dramatique avait secoué Mélina et sa famille : l'enfant avait subi des violences et un possible abus sexuel. Elle était, depuis, suivie par une psychologue.

L'examen physique était normal. La fillette était sociable et affirmée. Elle se plaignait de maux de tête fréquents après l'école. Elle était déçue de ses résultats. Elle avait beaucoup de difficultés à suivre la séquence des mots et des syllabes. On la disait souvent dans la lune. D'ailleurs, je l'ai observée fréquemment hors contexte pour constater que son regard était ailleurs et qu'elle ne suivait plus la conversation.

Elle semblait avoir un très bon potentiel et démontrait de l'intérêt envers nos propositions de solutions. Elle jouait le jeu puisque toute notre attention était centrée sur elle et son avenir. Elle n'était pas du genre à ne pas s'impliquer et je crois qu'elle attendait cette ouverture depuis un moment.

Quand la méthode fonctionnait, avec l'apprivoisement, la proximité et le respect, quand tout était dit clairement, lorsque le rire était de mise, sans cachette, sans non-dits, le reste suivait facilement. On partageait maintenant avec elle son espoir et son désir d'aller mieux, qui commençaient à se dessiner dans ses yeux.

On se trouvait face à une jeune fille possédant un parcours assez traumatique : exposition à de grandes violences en bas âge, migration forcée et difficile, forte présence de stresseurs toxiques provoqués par un statut précaire, conditions de vie difficiles et souffrance causée par un traumatisme violent. Elle avait en plus des difficultés scolaires majeures. Elle, si fière, n'arrivait pas à apprendre. Et que dire de l'angoisse de vivre dans l'attente d'une expulsion de son nouveau pays d'accueil, qu'elle adorait déjà ? Que de traumatismes injustes pour une si petite personne !

Le plan d'action que nous souhaitions valider avec le groupe et l'enfant comprenait plusieurs aspects, tous liés au potentiel de Mélina et comportant des éléments d'ordre physique, émotionnel et scolaire, dans un contexte de motivation.

– Soutenir ses nombreux champs d'intérêt, soit le dessin, la mode et la musique (elle chantait bien, selon la mère), ainsi que son désir de réussir malgré les difficultés éprouvées. Elle voulait être dessinatrice de mode.

– L'intégrer à des activités porteuses en dehors des heures d'école et lui offrir un soutien personnalisé pour s'adapter à son nouveau milieu, par exemple une Grande Amie ou le groupe dirigé d'estime de soi exclusif aux filles.

– Mobiliser une famille de soutien pour accompagner cette famille nouvellement arrivée, mais non intégrée et en grande difficulté.

– S'assurer que la vision de Mélina était adéquate puisqu'elle avait des maux de tête fréquents et beaucoup de difficulté à lire.

– Vérifier aussi la possibilité d'un trouble du déficit de l'attention sans hyperactivité ou encore d'un réel trouble d'apprentissage, comme une dyslexie.

– Impliquer la musicothérapeute pour aider Mélina à utiliser la musique comme méthode de gestion émotive.

– Faire réussir cette enfant à tout prix et contrer légalement le risque de déportation.

Voilà un plan d'action ambitieux et intégré qui peut être réalisé avec succès uniquement par une équipe organisée, en interaction et en coconstruction, et entretenant un lien fort avec la famille et une étroite relation avec l'enfant.

LA SUITE DES CHOSES

Nous parlons donc d'un nouveau paradigme de médecine sociale qui peut potentiellement changer le monde en ce qui a trait aux soins destinés aux enfants les plus vulnérables, ceux qu'on échappe sans le vouloir, ceux qui tombent entre deux chaises et qu'on oublie jusqu'à ce qu'il soit trop tard.

La pédiatrie sociale en communauté est née pour répondre à ce grand besoin de société de faire en sorte que tous les enfants soient égaux en matière de chances de réussite et de santé.

D'aussi loin qu'on puisse remonter dans le temps et encore aujourd'hui dans notre monde moderne, des enfants, pourtant si précieux pour l'avenir de cette société, se retrouvent dans des conditions de grande précarité. Ces petits êtres vulnérables et souffrants sont notre principale préoccupation, car le phénomène persiste et ne s'améliore pas, partout sur la planète.

Notre approche «un enfant à la fois» permet de rêver à un monde meilleur, et ce rêve nous habite quotidiennement.

Il suffit de le partager afin de favoriser les changements qui amélioreront le mieux-être de tous ces enfants. Les impacts sur ces derniers se mesurent également chaque jour.

Ce livre porte évidemment sur la démarche visant à mieux comprendre et soigner les enfants avec l'aide des familles et des milieux. Il s'agit clairement d'une action qui va en profondeur et qui est basée sur l'échange de même que sur le respect des valeurs humaines qui nous qualifient tels que nous sommes.

Cette pratique jaillit d'un désir provenant du cœur, soit celui de voir se déployer le bonheur et le bien-être des enfants de tout âge.

Le bien-être est un état de grâce qui, quels que soient les embûches ou les malheurs qui traversent notre chemin, nous permet de passer au travers des pires choses et d'apprécier la beauté ainsi que les petits moments précieux de la vie courante. Le bien-être, c'est aussi cette capacité de résilience qui nous incite à continuer à croire en l'amour et à garder l'espoir d'une vie meilleure, malgré les conditions difficiles.

Le bonheur et le bien-être, pour moi, sont ces grands éclats de lumière que les enfants portent en eux et qu'ils nous offrent gracieusement au moment où l'on s'y attend le moins. C'est aussi l'intérêt qu'ils nous témoignent de toutes les façons possibles et imaginables. Leurs sourires, leurs cris et leurs regards en font partie, mais leurs paroles spontanées révèlent toujours une vérité sans limites. Sinon, ils se taisent, préférant la fuite.

Les paroles spontanées des enfants et les liens étroits avec les familles qui apparaissent au jour le jour, voilà le plus grand gain que nous retirons de notre pratique.

Leurs mots peuvent être teintés de joie tout autant que de peine, de douleur ou de colère puissante. Ils viennent avec des pleurs ou des cris et, souvent, avec beaucoup de larmes. Ils viennent presque toujours directement du cœur !

Quand des enfants me croisent dans la rue en disant « Salut, doc Julien » ou encore quand, après la période de méfiance, un petit bébé me fait son plus beau sourire, ce sont des moments de pur bonheur qui comptent beaucoup pour moi. Ils entretiennent en moi l'amour et l'espoir, qui sont certes deux puissants moteurs d'actions soutenantes et constructives.

STÉPHANIE

Stéphanie est arrivée un matin où, après huit ans d'éloignement, je ne l'attendais pas. On m'avait annoncé le don substantiel d'une grande compagnie et demandé de tourner une vidéo de remerciement avec une jeune fille de 20 ans, ancienne patiente et à la source de l'obtention de ce don.

La salle d'accueil était remplie de personnel technique pour le tournage. J'ai remarqué une jeune femme assise un peu à l'écart. Je la reconnaissais vaguement, mais je n'arrivais pas à la replacer facilement tellement elle avait changé. Elle s'est approchée, m'a souri et m'a lancé doucement : « Je suis Stéphanie, tu ne t'en souviens pas ? »

Cela a pris quelques minutes avant que je la retrouve dans ma mémoire vacillante, grâce à ses yeux et à sa grande douceur. Je la revoyais maintenant, à 7 ou 8 ans, fragile et effacée, mais tellement attachante.

Je lui ai demandé si elle se rappelait que, lorsqu'elle arrivait et qu'elle me voyait lui sourire, ses yeux se mettaient à briller et elle se jetait dans mes bras, s'y sentant en sécurité. Elle a acquiescé, un peu intimidée. C'était clairement ce bon souvenir qui me l'avait ramenée en mémoire.

« Que tu as changé depuis huit ans ! lui ai-je dit. Comment se fait-il que tu n'aies pas oublié ?

— Je n'oublierai jamais que ton équipe et toi avez été ma famille au moment où je n'en avais plus », a-t-elle répondu.

On a le privilège de vivre au quotidien, surtout dans une pratique médicale sociale, ce que j'appelle des « actions humaines » d'une intensité rare avec les enfants et les familles.

Nous sommes exposés et souvent confrontés à la spontanéité, à l'impulsivité et, plus rarement, à la violence des gens que l'on accepte d'accueillir et d'écouter dans un élan de compassion, mais surtout pour les aider à devenir résilients.

Ce sont très souvent des situations très dramatiques, impressionnantes, dérangeantes aussi, mais d'une puissance importante, car elles apportent la couleur nécessaire à une grisaille difficile à comprendre. Elles sont déclenchées par de grandes émotions, qu'il faut décoder et intégrer à notre échange.

Ces grands éclats surviennent souvent de façon inattendue, dans la salle d'accueil, en clinique, au parc, au domicile ou même dans la rue, un endroit qu'il faut aussi fréquenter pour se rendre encore plus disponible.

ABRIL

Récemment, ma chère Abril est retournée dans son pays après deux ans d'un traitement expérimental en milieu hospitalier qui n'a pas donné les résultats attendus. Deux ans de sa vie loin de son père, de sa famille, de son milieu, vivant d'espoir et de plusieurs misères. Elle a été d'un courage exceptionnel et elle m'a donné une leçon de vie que je n'oublierai pas.

Elle m'attendait dans la salle d'attente, toujours aussi souriante et magnifique malgré ses grands handicaps. Elle y était pour m'emplir d'espoir, par pure gratitude. Elle a hésité quelques secondes, puis elle m'a fait une accolade émue. Elle m'a remis cette lettre écrite par elle, suivie d'un mot de sa maman.

Dear Dr Julian.
Thank you for your love and kindness.
I will miss you when I go to my country.
I am very grateful for everything.
Love and with love.
Your friend Abril
See you soon my angel.
Abril

When words fail to say it
When a hug is not enough to express it
Only comes a thank you from the heart
Because God has shown me your love through you
God bless you.
La maman d'Abril

Ce sont des mots puissants écrits avec le cœur, bien sûr, des mots qui portent. La fille et la maman avaient été touchées par le soutien que nous leur avions offert et qui consistait particulièrement en une aide humanitaire manquante, puisque les besoins médicaux avaient été comblés par le traitement expérimental.

On avait tout simplement oublié qu'elles étaient aussi des humaines avec des besoins spécifiques. Notre équipe avait donc été appelée en renfort pour agir sur leurs besoins fondamentaux et leur bien-être. L'accès à de la nourriture en quantité suffisante et à un logement adéquat, une école, un réseau et beaucoup de considération, vu leur isolement et leur éloignement, faisaient partie de ces outils de bien-être dont nous avons tous besoin et qu'on avait oublié de leur fournir pendant un an.

Notre équipe s'est aussi assurée de soulager leurs souffrances physiques et émotionnelles dues aux traitements et à l'ennui de leurs proches.

Nous les aimions, tout simplement, et elles ont fait partie d'une grande famille pendant les derniers mois de leur séjour. Nous leur avons trouvé un logement, de la nourriture adéquate et un réseau. Abril a pu fréquenter une école et se faire des amis. Rien de plus normal pour une grande fille bien traitée, mais mal soignée !

Je tiens à terminer ce livre avec deux autres histoires d'enfants qui m'ont touché et qui prouvent qu'une approche patiente et constante permet d'ouvrir sur les vraies choses. Ce sont pour moi de grands succès puisqu'ils ont mené à des solutions visant ce qui compte vraiment.

MYLÈNE

Mylène, 8 ans, était une fillette plutôt effacée, fuyante même. Ses parents ne comprenaient pas son comportement asocial. En privé, elle était «normale», mais en public elle refusait de parler à quiconque. À l'école, elle ne parlait presque pas, ce qui provoquait des incompréhensions de la part des enfants. Elle était également silencieuse avec les adultes en général, ce qui l'amenait à être occasionnellement exclue. Elle était dans un monde à part.

Je peinais à l'apprivoiser. J'avais beau lui poser des questions, la complimenter, engager de vraies conversations, rien ne se passait. Toutefois, son regard intense de même qu'une sorte de présence et d'attention me faisaient garder l'espoir que je finirais bien par en tirer quelque chose.

J'ai persisté et je l'ai vue à plusieurs reprises, à ma clinique ou pendant les activités. L'échange restait unidirectionnel, mais le contact était bon. Elle acceptait de me voir, de me laisser parler seul et même de me faire l'accolade.

Un jour, en marchant avec elle, je lui ai pris la main, mais je me suis abstenu de parler pour cette fois. Elle semblait heureuse et détendue, puis, subitement, elle m'a chuchoté à l'oreille cette phrase qui expliquait plein de choses : «Je ne veux pas grandir, docteur Julien.»

Il s'agissait de peu de paroles, mais quelle portée ont eue ces quelques mots sortis des profondeurs mêmes de son être!

Elle n'a pas dit autre chose pendant les mois qui ont suivi, mais une piste s'était ouverte. Elle ne voulait pas grandir simplement pour rester petite, pour sa sécurité et parce que les adultes lui faisaient peur.

Après de multiples rencontres et au moyen de dessins ainsi que de modèles créatifs, elle a exprimé de nombreuses craintes et a révélé aussi des événements abusifs qui lui avaient fait perdre espoir de même qu'une grande partie de sa naïveté d'enfant.

Malgré tout, elle croyait fermement que le fait de ne pas vieillir lui assurerait une protection suffisante.

Ses paroles nous avaient mis sur une piste et le bon coup avait été de laisser patiemment émerger cette phrase de peu de mots. Le reste viendrait en temps et lieu.

GABRIELLE

Gabrielle m'a écrit cette lettre émouvante il y a quelque temps. Elle est mère, mais elle vit des incapacités qui l'empêchent de garder à temps plein son jeune fils, malgré son amour inconditionnel pour lui. Elle est touchante et on a le goût de l'aider autant qu'on le peut.

Pour Doc Julien.
Bonjour à toi, Doc Julien.
Je suis fier de t'avoir comme pédiatre pour Yannick, car tu es un très bon pédiatre et tu as su comment nous prendre lui et moi-même dans mes moments de colère et j'en suis vraiment désoler, car ces pas facille par ou kon passe croie moi ses dur et ça fait mal. J'aie entièrement confiance en toi quand on a un enfant a qui on tien vraiment ses dur de travailler pour le ravoir, mais quand on l'aime fort comme moi j'aime le mien on fait tout pour l'avoir. Parfoie je pleure je fais des crisse de colère j'ais vécu l'enfer. Quand Yanick vient dormir les fins de semaine ça me fais du bien, mais quand il repart le dimanche je pleure. J'aimerais tellement qu'il reste toujours.
De voir son enfant est dans la misère ses dur pour le cœur d'une mère comme moi
Ses super de t'avoir comme docteur merci encore.
Gabrielle

Ça m'avait tant touché que Gabrielle, dont j'ai suivi le fils pendant plusieurs années, me livre ce témoignage inoubliable.

Cette lettre venait de nulle part, si ce n'est que du fond du cœur d'une maman en détresse, qui est restée une mère grâce à notre soutien fait d'écoute et de compréhension. J'ai vu son fils récemment. C'est maintenant un homme. Il est venu me dire qu'il était inquiet pour elle et qu'il l'aimait, mais c'était évident qu'il ne savait pas comment le lui dire.

Il est difficile de conclure un texte de ce genre puisqu'il n'y a pas de fin. Beaucoup de choses restent à dire et à faire. Mais la petite anecdote qui suit peut au moins nous inspirer à agir.

Alors que je terminais la rédaction de ce livre, j'ai dû me rendre à une rencontre dans une salle paroissiale, où j'ai vu un itinérant se faire chasser du perron de l'église. Il ne faisait de mal à personne. Il était assis sur les marches près de la porte verrouillée et il fumait une cigarette. Il venait d'aider une conductrice à se stationner sans rien demander en retour. Pourtant, quelqu'un était venu lui dire qu'ici, c'était tolérance zéro ! Il a dû quitter l'endroit sur-le-champ.

J'étais dans mon auto, d'où j'avais tout vu. L'homme, en passant devant moi, m'a fait un signe de la main. Je suis sorti pour lui demander pourquoi il devait partir. Il m'a répondu en me félicitant pour mon travail et en a profité pour me confier qu'il aurait bien voulu avoir l'aide et l'écoute que nous offrons aux enfants. « Je ne serais pas dans cette situation aujourd'hui si j'avais eu ton aide dans le temps », m'a-t-il dit. Il m'a serré la main et il est parti avec son petit bagage.

Le message est clair. Il nous faut tous voir les enfants, les comprendre et les écouter pour assurer leur bonheur. Plus on les connaît et plus on les aime, plus ils sont outillés pour la vie.

DANS LA MÊME COLLECTION

Judes Poirier Ph.D.,C.Q.

JEUNE ET CENTENAIRE

TRÉCARRÉ

Sylvie Lavallée M.A.

ÊTES-VOUS EN SANTÉ SEXUELLE ?

TRÉCARRÉ

Brigitte Harrisson B.T.S.
Lise St-Charles D.E.S.S.
avec la collaboration de Kim Thúy

L'AUTISME EXPLIQUÉ AUX NON-AUTISTES

TRÉCARRÉ

Suivez le travail du Dr Julien sur :
fondationdrjulien.org
facebook.com/FondationDrJulien
twitter.com/fonddrjulien
et restez à l'affût des titres à paraître chez Trécarré en suivant
la page de Groupe Librex : facebook.com/groupelibrex

edtrecarre.com

Cet ouvrage a été composé en Celeste 14 pts
et achevé d'imprimer en janvier 2017 sur les presses
de Marquis Imprimeur, Louiseville, Canada